Einaudi Ragazzi

Storie e rime

127

Collana diretta da Orietta Fatucci

Stefano Bordiglioni
Manuela Badocco

Dal diario
di
una bambina
troppo occupata

Illustrazioni di Grazia Nidasio

Einaudi Ragazzi

a Maurizio e Matteo
con amore

Manuela

Dal diario di una bambina troppo occupata

Martedí 12 gennaio

Caro diario,
sono le sette e mezzo e fra poco viene la mamma a svegliarmi. Scusa se ti devo disturbare di mattina presto, a quest'ora, ma non ho molti altri momenti per scriverti. Quest'anno faccio la quinta e i maestri ci danno sempre un sacco di roba da studiare per via dell'esame. Quello di italiano poi è fissato con i testi e ci fa scrivere quasi tutti i giorni. Ormai gli ho raccontato tutta la mia vita un paio di volte, descritto gatti, cani, pappagalli e gite al mare e non so piú cosa scrivere. Insomma, fra storia, scienze, geografia, matematica e italiano, al pomeriggio ho sempre tanto di quel compito che certe volte ci metto anche tre ore a farlo tutto.
Ieri poi di tempo ne ho avuto ancora meno del solito perché la mamma mi ha portato a fare la mia prima lezione di nuoto in piscina. Ha detto che mi fa bene

alla schiena e che poi cresco bella dritta. Se ci riesco a crescere, visto che ieri quasi affogavo! Io gliel'avevo detto a Paola, l'istruttrice, che so nuotare poco e che mi stanco subito. Lei ha soffiato forte nel fischietto e mi ha urlato di partire, che stavo bloccando tutta la corsia. Io mi sono un po' spaventata e mi sono messa a nuotare. Ma sapessi che fatica che è!

Alla terza bracciata ho girato male la testa per respirare e ho bevuto un litro d'acqua. Allora ho cercato di aggrapparmi a quel nastro di palline colorate che separa le corsie, ma l'ho mancato. Cosí sono finita sotto e Paola si è dovuta buttare per tirarmi fuori. Poi mi hanno steso su un fianco e io ho tossito e sputato acqua di piscina per cinque minuti. La mamma è venuta di corsa a vedere che non mi fosse capitato niente di grave e l'istruttrice le ha detto che non c'era stato nessun pericolo, che non era stato nulla. Non era stato nulla?! L'avrei strozzata! Ci provi lei a buttare giú di colpo un litro di schifosa acqua di piscina che puzza di cloro e fa bruciare gli occhi! Poi ha avuto anche il coraggio di dirmi che all'inizio devo stare attenta e non fidarmi troppo delle mie forze.

– MA IO GLIEL'AVEVO DETTO CHE

MI STANCAVO SUBITO! – le ho gridato scocciata. Quella ha fatto un sorrisino alla mamma e ha scosso la testa. La mamma mi ha guardato male, come se avessi detto una bugia e avessi offeso Paola. Invece ero offesa io e bugiarda lei! Ma i grandi si danno sempre ragione fra loro e a noi bambini restano invece tutte le colpe. Comunque, dopo, mi hanno messo a sguazzare nella piscina dei piccoli, quella con l'acqua bassa bassa e lí mi sono divertita abbastanza.

Negli spogliatoi, mentre la mamma mi asciugava i capelli, le ho detto che a me nuotare in piscina non piaceva e che non ci volevo venire piú. Lei si è messa a ridere e mi ha risposto che nuotare piace a tutti i bambini e che in poco tempo sarebbe piaciuto un sacco anche a me. Sarà, ma ci credo poco.

Mercoledí 13 gennaio

Caro diario,
oggi ti scrivo a scuola, di nascosto, perché stamattina avevo sonno e ho dormito fino alla sveglia. Cosí, visto che stiamo facendo il solito testo sugli amici (quest'anno ne abbiamo già fatti tre!), ho pensato che potevo tirarti fuori ora dalla cartella e scrivere. Da dove sta il maestro sembrerà che io stia facendo il mio lavoro. In realtà il testo sugli amici l'ho già finito, perché ho copiato quasi per intero quello fatto a novembre, che mi era venuto abbastanza bene. Certo, ho cambiato qualche nome e qualche frase qua e là. Sono proprio curiosa di vedere se il maestro se ne accorge!
Anche ieri è stata una giornata piuttosto dura: avevo la solita valanga di compiti da fare, compresa una cartina geografica della Gran Bretagna da disegnare. Io a scuola ho chiesto alla maestra se potevo

fotocopiarla con la fotocopiatrice a colori del babbo: si faceva prima e veniva pure meglio. Lei non mi ha risposto, però mi ha guardato come se fossi stata un fungo velenoso andato a male e cosí niente fotocopia a colori.

Poi alle cinque sono stata a lezione di piano dal professor Perotto. Lui non lo sopporto proprio! Credo che sia sordo perché un brano me lo fa suonare e risuonare anche venti volte e ogni volta ci trova un difetto diverso: – Piú su la mano... piú giú la mano... attenta al gomito... il fraseggio, il fraseggio... qui saltato, là appoggiato... il pedale, il pedale...

Io il pedale lo avrei anche spinto volentieri: quello della bicicletta, però! Ieri, anche se era freddo, c'era un bel sole e veniva proprio voglia di fare un bel giretto fra i campi che sono dietro il paese. Avrei chiesto a Giulio se voleva venire anche lui e saremmo potuti arrivare fino al fiume a tirare i sassi lisci sull'acqua per farli rimbalzare: è una cosa che è un pezzo che la voglio imparare! Giulio, che è il figlio del postino e abita nella casa di fianco, è un vero campione: dice che una volta è arrivato a sette rimbalzi con un sasso cosí tondo e piatto che sembrava una piccola astronave. Certo che lui, però, ha un bel

po' di tempo per allenarsi: mica deve suonare il pianoforte, lui!

Comunque non so se la storia dei sette rimbalzi sia proprio vera, anche perché ogni tanto Giulio le spara cosí grosse che non gli crede neppure quell'oca di Francesca, quella bambina di quarta che fa collezione di Barbie e che ne ha già piú di cinquanta, compresa la Barbie alpinista, quella con la piccozza, le corde e il berrettino con la penna.

Io di Barbie invece ne ho solo dodici e pure vecchie: ho provato a chiedere alla mamma se mi comprava almeno la Barbie subacquea, quella con le bombole e la maschera, ma lei mi ha risposto che quelli erano giochi da bambini, una perdita di tempo.

A me piacerebbe un sacco poter perdere un po' di tempo con dei giochi da bambini. Anche perché ho dieci anni e, siccome credo che ce ne vogliano almeno dodici per diventare una ragazzina, io "sono" una bambina.

Giovedí 14 gennaio

Caro diario,
scusa per le macchie di cioccolata, ma sono le cinque e mezzo del pomeriggio e ti sto scrivendo mentre faccio merenda con pane e nutella. Oggi ho vinto io! È stata davvero una bella soddisfazione! La nutella, intendo. La mamma voleva farmi il panino con la cioccolata di soia ipocalorica, quella che non fa ingrassare e non ti fa venire i brufoli. A me però quella roba lí fa proprio schifo: sembra gelatina marrone di cavoli dolci! Ho giurato alla mamma che se mi faceva il panino con la cioccolata di soia io non lo mangiavo. Lei ha detto che non dovevo fare i capricci come i bambini piccoli e cosí ha preparato il panino alla soia e l'ha messo sul tavolo. Ma io non l'ho proprio toccato! È rimasto lí per mezz'ora sul piatto, con la mollica che stava già diventando dura. La mamma, allora, ha cercato di convincermi:

ha detto che quella cioccolata lí non fa cariare i denti e non ingrassa. Ma io niente! Dovevo avere un aspetto orribile: avevo una gran fame e in piú avevo messo su un broncio da far paura. Alla fine la mamma non ha resistito e ha tirato fuori il barattolo della nutella. Cosí io ora sto facendo merenda con pane e cioccolata, mentre l'altro panino, quello finto, è finito nel bidone.

Ieri sono stata a danza. Ormai sono un po' di mesi che ci vado, ma non è che mi piaccia granché. La palestra è un posto grande e pieno di specchi per guardarsi mentre si fanno le varie figure. Poi c'è una sbarra attaccata al muro per appoggiarsi con una mano quando si lavora con le gambe e infine c'è un pianoforte anche lí. Abbiamo anche un bel mangianastri stereo e il lettore CD, però Stefania, una delle due maestre, preferisce suonare lei, perché dice che cosí non perde il tocco. Io preferisco i nastri e i CD, perché quando ballo col pianoforte mi viene sempre in mente il professor Perotto e mi sembra sempre di dover rifare tutto da capo. Comunque anche Simona, l'altra maestra, ci fa ripetere spesso gli esercizi: – A tempo, a tempo... piú su la mano... piú giú la mano... plié... plié... attente al gomito... non parlate... a tempo... a tempo...

Ogni tanto mi diverto anche, ma di solito mi annoio da morire. La mamma dice che è importante che io impari a danzare perché cosí «acquisto in grazia».

Io vorrei invece che i miei genitori mi acquistassero un pallone da pallavolo e che mi lasciassero andare a giocare con Licia: fino a pochi giorni fa lei faceva gli allenamenti nella palestra di San Martino con la squadra delle piccole ma, siccome gioca troppo bene, adesso l'hanno messa con quelle di dodici anni. Ha imparato anche a schiacciare e a battere fortissimo. La mamma dice che non ho tempo per la pallavolo, che ho le giornate già tutte piene. Quello magari è anche vero: l'altro ieri, per esempio, la maestra Giovanna ci aveva dato per compito una ricerca su Napoleone e ieri ho impiegato tre ore solo a fare quella, anche perché la mamma ha detto che avevo fatto troppi pasticci e me l'ha fatta ricopiare tutta! Quando ho finito avevo la mano tutta sudata, che mi faceva anche male. Poi dovevo studiare una poesia e fare delle operazioni. Le operazioni le ho fatte alla sera, invece la poesia l'ho imparata il giorno dopo, alla mattina presto, prima di andare a scuola, perché si era già fatto troppo tardi.

Comunque penso che, se provo a insistere come ho fatto per la nutella, prima o poi la mamma si convince, mi toglie da danza e mi iscrive a pallavolo.

Caro diario,

oggi ti devo scrivere qui nel bagno perché, se sto di là con la mamma, poi lei ti
vuole leggere. Io le ho detto che non si
poteva, perché un diario è una cosa molto
personale. Quando me l'ha regalato, me
l'ha detto proprio lei! Ora però sembra
che se ne sia dimenticata e dice invece che
una bambina non deve avere segreti per i
suoi genitori. Io non ce li ho mica i segreti,
però tu sei il mio diario e ti scrivo e ti
leggo solo io.

Ieri è stata una giornataccia: a scuola
quella spiona di Rita, quella smorfiosa a
cui i genitori hanno già comprato la scato-
letta con gli smalti e le ciprie per truccarsi,
ha detto a Giuseppina, la maestra di matematica, che io stavo copiando il problema.
Non era mica vero! Quello l'avevo già
copiato prima: stavo solo controllando
con Licia se era proprio tutto uguale!

Licia è la piú brava della classe in matematica, capisce tutto. Invece io sono piú brava di lei a scrivere. Cosí ogni tanto ci facciamo un piccolo favore: io le presto qualche idea e le correggo gli errori nei testi e lei scrive i problemi tenendo sotto alla pagina la carta carbone e un altro foglio. Poi, siccome è velocissima, in cinque minuti finisce e mi passa il foglio con la soluzione. Cosí sul suo quaderno io non devo guardare mai e la maestra Giuseppina fino a ieri non ci aveva mai pescato.

Durante la ricreazione, quando siamo uscite nel parco, mi sono messa a rincorrere Rita perché volevo picchiarla. Anche se io sono piú piccola, lei ha avuto paura e mi ha chiesto di fare la pace. Mi ha detto che se non la picchiavo mi faceva giocare con lei con i trucchi. Allora non l'ho picchiata. Ci siamo messe in un angolo del giardino a provarci gli smalti sulle unghie: a me piacevano un sacco quello color argento con i brillantini e quello giallo fosforescente. Cosí mi sono dipinta un'unghia d'argento e un'unghia di giallo. Invece Rita si è fatta le unghie tutte verdi che sembrava un mostro spaziale.

La maestra poi, in classe, ha visto lo smalto e voleva che ce lo togliessimo, ma nella scatolina dei trucchi l'acetone non c'era. Cosí ci ha fatto una nota sul diario e ci siamo tenute le unghie colorate fino a casa.

Intanto che la maestra Giuseppina scriveva la nota, a me veniva da ridere perché pensavo a cosa avrebbe potuto dire il professor Perotto se fossi andata a lezione di piano da lui con quelle unghie. Siccome la maestra credeva che io ridessi di lei, si è arrabbiata e mi ha scritto un'altra nota da far firmare.

A casa la mamma ha firmato, però ha aggiunto che era dispiaciuta per il mio comportamento e che quando la maestra mi sgrida non devo assolutamente ridere. Con la faccia da tragedia ha detto anche:
– Belle soddisfazioni che mi dai!

Io ho provato a spiegarle com'era andata, ma lei mica mi ha creduto. Infatti ha detto che se lo rifaccio non mi manda piú fuori a giocare per un pezzo.

FUORI A GIOCARE??? MA SE FRA COMPITI E LEZIONI VARIE NON HO MAI IL TEMPO DI ANDARCI?!

Ieri era la volta dell'inglese. Lo facciamo anche a scuola, ma il papà dice che quella è la lingua del futuro e cosí la devo imparare bene. Io ho provato a dirgli che se è la lingua del futuro forse la posso imparare anche fra una decina d'anni. Ha riso

22

tutto contento, come se stessi scherzando. Cosí, una volta alla settimana, dopo la piscina, vado da Judith, una signora che viene dall'Inghilterra e che mi parla solo in inglese. Io non è che capisca sul serio: faccio sí due volte con la testa e una volta no; poi dico *Nou, nou!* due volte e quindi *Yes* la terza. Non indovino sempre, ma ogni tanto succede e cosí Judith, dopo cinque lezioni, non ha ancora capito che cosa so fare e che cosa no.

Invece in piscina Paola ha capito benissimo che non sono una grande nuotatrice e mi fa nuotare con i bambini piú piccoli. Ho fatto due vasche con la tavoletta battendo i piedi e due con i braccioli usando anche le mani. Ho bevuto un po', ma non troppo. Poi sono andata nella piscina con l'acqua bassa per riposarmi e riprendermi. Ero lí che sguazzavo vicina a un bambino che se ne stava fermo e zitto zitto. Non capivo cosa stesse facendo. Poi ho sentito un caldino alla gamba destra e allora ho capito: quel porcello stava facendo la pipí in acqua! Sono uscita di corsa e l'ho detto a Paola. Lei mi ha rimproverato, perché non sta bene fare la spia. Allora sono tornata dentro l'acqua e ci ho fatto la pipí anch'io!

Sabato 16 gennaio

Caro diario,
oggi è il mio compleanno ma la festa con gli amici la facciamo domani che è domenica. Io per regalo ho chiesto se oggi, invece di andare a danza, potevo andare fuori a giocare a pallone con Giulio e Alex, quel suo amico piú grande che sa muovere le orecchie e suonare la chitarra. Il papà mi ha chiesto se per caso non preferivo un bel computer con tanti bei programmi. Ha detto pure: – Quella dei computer è la lingua del futuro!

– Ma non era l'inglese? – mi è scappato.

Il papà mi ha guardato malissimo. Comunque poi ha detto che per oggi potevo saltare danza e andare a giocare fuori. Però gli dovevo promettere che non avrei giocato a calcio, perché le bambine per bene non giocano come un maschiaccio. Io ho promesso senza fare tante storie, tanto il campo dove giochiamo non si vede da casa mia! E poi non è vero che le bambine non possono giocare a calcio. Io, per esempio, sono una terzina bravissima: a scuola mi chiamano "Martina la mastina" e quando giochiamo per la ricreazione, mi fanno sempre marcare Mattia, il giocatore piú bravo dell'altra squadra. Ogni tanto litighiamo anche, perché magari io do un calcio a lui o lui a me. Però io non ho mica paura di lui solo perché è un maschio! Ieri, per esempio, lui mi ha detto una parolaccia che non posso ripetere, e allora io gli ho dato un pugno sul naso. Si è messo a piangere come un bambino piccolo! Sí, vabbè, gli usciva un po' di sangue, ma mica tanto! Poi è andato dalla maestra a fare la spia e lei mi ha scritto un'altra nota. Io però non l'ho fatta vedere alla mamma: siccome oggi era il mio compleanno, ho fatto finta di aver dimenticato il diario a casa. Non penso che la maestra Giuseppina ci abbia creduto, comunque ha detto che glielo devo far vedere lunedí. Cosí intanto domani mi godo la mia festa in pace, senza essere sgridata per colpa di quella lagna di Mattia che non sopporta niente.

Ieri pomeriggio avevo anche la lezione di pianoforte col professor Perotto. Sono state due ore noiosissime: mi ha fatto fare scale su scale, che alla fine ero sudata come se fossero state scale vere. Poi mi ha fatto suonare una musica di un pianista tedesco di duecento anni fa che secondo lui è bellissima. Sí, in effetti non era malissimo... però era un pezzo decisamente fuori moda. Cosí gli ho chiesto quando mi faceva suonare qualcosa delle *Spais Gherls* e lui si è cosí arrabbiato che mi è anche toccato chiedergli scusa.

Quando sono tornata a casa avevo ancora da studiare storia: tutte le guerre di Napoleone! Ma non si riposava mai quello lí? Avrò avuto tre pagine di battaglie da imparare! Secondo me Napoleone al pomeriggio non aveva niente da fare, sennò non avrebbe avuto il tempo di combattere tutte quelle guerre!

Intanto che leggevo, chissà perché, mi è venuto in mente Enrico, il figlio del fornaio: lui litiga con tutti per ogni sciocchezza, dice un sacco di parolacce e alza subito le mani. Però, siccome non è mica tanto furbo, le prende sempre: all'asilo mi ricordo che l'ho picchiato anch'io!

Napoleone credo che fosse un tipaccio, proprio come Enrico. Però almeno lui vinceva quasi sempre...

Domenica 17 gennaio

Caro diario,
sono qui in camera mia e sto facendo il compito: ho un sacco di roba da fare perché ieri pomeriggio sono stata fuori a giocare finché non è stato buio. Però ho già fatto i quattro problemi e le trenta operazioni che ci aveva dato la maestra Giuseppina. Ora ho due pagine di scienze, tre di storia e una poesia sull'inverno cosí noiosa e lunga che quando la reciti ti mette tristezza e ti viene quasi freddo.
Comunque sto cercando di sbrigarmi e di finire prima di mezzogiorno, perché questo pomeriggio vengono i miei amici qui a casa per la mia festa di compleanno. La mamma è già in cucina che lavora ad una mega-torta e il papà è andato al bar a comperare una decina di bottiglie d'aranciata. Io faccio il compito, ma mi distraggo spesso e sono eccitatissima perché non vedo l'ora di spegnere le candeline e di aprire i regali!

Ah! Dopo la festa bisogna che mi ricordi di far firmare alla mamma la nota che la maestra Giuseppina mi ha dato venerdí: aspetterò il momento in cui danno alla televisione i risultati delle partite di calcio e fanno vedere i gol, cosí il papà non si accorge di niente e non comincia a dire che non sono una brava bambina.

Ieri invece sono stata una bambina davvero ubbidiente: avevo promesso che non avrei giocato a calcio e infatti non ho giocato! Anche perché non avevamo la palla.

È successo infatti che Mattia non è riuscito a venire al campo perché aveva troppo compito da fare; Alex è andato coi genitori fuori città e Giulio e gli altri non sono riusciti a trovare che un pallone da basket. Abbiamo provato a dare due calci, ma quelli da basket sono palloni duri come mattoni e quando li colpisci fanno un rumore strano, un DENG che non c'entra niente. Poi non volano nemmeno un po' e ti distruggono il piede.

Cosí siamo andati a casa di Enrico, che ha un canestro attaccato al muro del cortile, messo dal suo papà proprio per farlo giocare a basket. Abbiamo provato a tirare un po' tutti, ma l'unico che faceva canestro era appunto Enrico. Poi abbiamo fatto una partitella, ma abbiamo litigato subito: Enrico diceva che l'avversario non si può toccare e che spinte e botte sono proibite. Ma se tu devi rubare la palla a qualcuno, come fai? Per me lui le regole se le inventa al momento per vincere a tutti i costi.

Cosí io, Giulio e Andrea ce ne siamo andati per i fatti nostri. Siamo andati al fiume a tirare i sassi sull'acqua. Finalmente ho imparato anch'io, ma arrivo solo a tre rimbalzi. Poi Giulio e Andrea si sono stufati e si sono messi a tirare sassi, con le fionde, ai passeri che erano sugli alberi lí attorno. Io dicevo di smettere, ma loro sembrava che si divertissero un sacco. La scorsa estate Giulio andava anche a caccia di lucertole: le inseguiva con un bastone o le uccideva con la fionda. Poi io gli ho detto che le lucertole morte mi fanno schifo e che non gli avrei parlato mai piú, se non smetteva. Cosí ha cambiato bersagli: ora tira ai passeri che, siccome volano, sono piú difficili da colpire delle lucertole. Sono contenta che abbia smesso, anche se ora mi dispiace un po' per i passeri. Comunque devo dire che anch'io sono rimasta qualche volta a guardare affascinata la coda staccata di una lucertola che si muoveva da sola: ma come faranno?

Sono tornata a casa solo verso le cinque,

quando già cominciava a fare buio. Avevo ancora un po' di compito da fare: un'altra cartina, quella della Germania. Stavolta però ho fatto davvero la fotocopia a colori, l'ho ritagliata e l'ho attaccata nel quaderno. Sono proprio curiosa di vedere se la maestra me la fa rifare.

Alle cinque e mezzo ho tirato fuori due merendine dalla dispensa e mi sono messa davanti alla televisione a vedere *Sailor Moon*. La storia non era proprio bellissima, ma siccome pensavo alle mie amiche che in quel momento stavano facendo gli esercizi a danza, io me la sono goduta un sacco.

La mamma, che preparava la cena, ha messo fuori la testa dalla cucina e mi ha visto sorridere beata e soddisfatta.

– Bello il cartone? – ha chiesto.

– Bellissimo! – ho risposto io. E lo devo aver detto in un modo strano, anche perché avevo un delizioso pezzo di merendina in bocca. Lei infatti si è messa a ridere, come se le avessi raccontato una barzelletta. Allora mi sono messa a ridere anch'io.

– Chissà cosa diranno Stefania e Simona che oggi non sei andata a danza? – ha detto la mamma facendo finta di essere preoccupata.

– Già, chissà? – ho fatto io, facendo la voce di Simona. Poi io e lei siamo scoppiate di nuovo a ridere e sembrava non ci dovessimo fermare piú.

Caro diario,
ieri la mia festa è stata un successone!

Venerdí scorso avevo distribuito a scuola agli amici piú cari dei biglietti d'invito creati da me. Ho preso dei cartoncini e vi ho scritto sopra:

«MARTINA DOMANI COMPIRÁ 11 ANNI. SARÁ LIETA DI SALUTARE GLI AMICI IN VIA DEI PLATANI N. 85. È GRADITA LA TUTA DA GINNASTICA».

Cioè, io ho fatto i bigliettini, ma per la verità ho copiato l'idea da un giornale della mamma. L'invito della rivista era per un matrimonio e parlava di un certo "abito scuro". Però, visto che io mica mi dovevo sposare, l'ho cambiato un pochino. Poi ci ho disegnato una cornice di fiorellini gialli tutt'intorno.

Ho invitato Licia, Giulio, Alex, Francesca e persino Rita, anche se è una spiona e mi sta un po' antipatica. Ha insistito la mamma perché la invitassi: – Bisogna essere gentili e cortesi anche con le persone che non ci piacciono tanto! – ha detto per convincermi. Io le ho chiesto, allora, come mai al suo compleanno non invita mai la vicina del piano di sopra, quella che tutti i giorni sbatte la tovaglia dalla finestra e ci riempie il terrazzo di briciole di pane.

Lei mi ha guardato malissimo e poi, senza dire niente, si è messa a dare qualche ritocco alla mia torta. Ne ha preparata una gigantesca a forma di *claun* del circo: ha farcito un pandispagna con crema e cioccolato, lo ha ricoperto di glassa rosa e ha fatto gli occhi e il naso con gli *smarties* e i capelli con rotelle di liquirizia. Per la bocca ha usato ciliegine candite. Anche se i canditi a me non piacciono per niente, devo dire che la torta era davvero bellissima: sembrava un vero *claun*!

Poi il babbo ha gonfiato dei palloncini e li ha legati al cancello, alla ringhiera delle scale, alla porta d'ingresso, ai lampadari. Ne ha messi un paio persino sulla vaschetta di scarico del water. Verso le tre e mezzo sono arrivati gli amici. Per prima è arrivata Rita che mi ha dato un pacchetto cosí minuscolo che ho fatto finta di non vederlo nemmeno. Poi sono arrivati gli altri con i loro regali. Ero davvero curiosa

34

di aprire tutti i pacchetti, specie quello di Giulio che non era tanto grande ma era davvero pesante.

Prima di mangiare la torta, noi bambini abbiamo giocato: abbiamo fatto il gioco dell'investigatore, che si fa coi bigliettini, un morto e un assassino. Abbiamo litigato quasi subito, perché volevamo fare tutti l'investigatore o l'assassino e nessuno il morto. Alla fine abbiamo convinto Francesca, ma io le ho dovuto regalare l'anellino con la margherita di plastica che avevo trovato nelle patatine.

Poi abbiamo giocato a Monopoli, a Forza Quattro e al gioco della sedia, quello che si gira intorno alle sedie intanto che va la musica e ci si siede di colpo quando si ferma il nastro. Quello che arriva per ultimo resta in piedi e deve fare la penitenza. Anche lí abbiamo litigato perché ogni volta che la musica si fermava Francesca restava in piedi e le toccava la penitenza. La quinta volta, però, non la voleva fare: era venuto "baciare" e le avevamo detto che per penitenza doveva baciare Alex. Siccome lei non voleva e Alex neppure, alla fine ci siamo accontentati di farle baciare lo sportello del frigorifero. La mamma, che era in cucina, l'ha guardata senza capire e le ha chiesto se per caso aveva fame. Noialtri, che eravamo nascosti, ormai morivamo dal ridere!

Alle cinque la mamma ci ha chiamato per mangiare la torta. Io ho soffiato sulle candeline e Licia, Rita e Francesca hanno cantato «Tanti auguri Mastina». La mamma mi ha chiesto chi fosse "Mastina".

Io le ho detto che si erano sicuramente sbagliate e ho guardato malissimo quelle streghette che ridevano soddisfatte.

Volevo quasi quasi picchiarle un po', però c'erano i regali da aprire e ho lasciato stare. Nel mini-pacchetto di Rita c'erano delle spille per capelli a forma di ananas, l'unico frutto che non mi piace! Licia mi ha regalato un bel libro sulla pallavolo e Francesca un burro cacao alla vaniglia. Alex invece, con una tavola di legno e le rotelle di un pattino, ha costruito uno *scheitboard* per me.

Proprio lo *scheitboard* è il regalo che mi è piaciuto di piú. Invece sono rimasta un po' male per quello di Giulio: il pacchetto era pesante perché dentro c'era un sasso di fiume grosso e piatto. Ma quello è proprio fissato coi sassi!

Dopo i regali abbiamo mangiato la torta. Io ho mangiato tanti capelli di liquirizia che alla fine avevo la lingua tutta nera. Le ciliegine candite le ho lasciate agli altri.

Martedí 19 gennaio

Caro diario,
sono le sette e di fuori è notte fonda.
Scusa se ti disturbo di nuovo all'alba, ma
fra poco dovrò ripassare geografia.

Ieri è stata quasi la piú brutta giornata
della mia vita, se non si conta quella volta
che sono rimasta chiusa nel bagno di un
cinema e non riuscivo piú ad aprire la
porta.

Sono andata infatti in piscina per la mia
terza lezione di nuoto e ho avuto una
brutta sorpresa: al posto di Paola che ha
l'influenza, c'era un'altra istruttrice. Era
bionda, aveva i denti come quelli di un
coniglio, si chiamava Petula e non aveva
tutte le rotelle al posto giusto. Figurati che
non ne ha voluto sapere di lasciarmi
sguazzare nella piscina dei piccoli e mi ha
costretto, dico COSTRETTO, a tuffarmi in
quella dei grandi senza braccioli e senza
tavoletta.

Ma non aveva detto la maestra Giovanna che esisteva una CARTA INTERNAZIONALE DEI DIRITTI DEI BAMBINI? Mi sono presa un tale spavento che ho pensato che se riuscivo a sopravvivere chiamavo il Telefono Azzurro.

Intanto che lottavo per non affogare, quell'oca di Petula, anziché controllare noi bambini, faceva la svenevole con Furio, un bagnino talmente scemo che passa tutto il suo tempo a rimirarsi i muscoli nei riflessi delle vetrate della piscina.

Li avrei strozzati volentieri tutti e due!

Improvvisamente, però, mi sono accorta che per stare a galla basta rilassarsi. Cosí mi sono calmata un po' e ho cominciato a prenderci gusto. Mi sono messa a muovere le gambe e le braccia come dice Paola e ho visto che funzionava davvero! Allora mi è passata la paura quasi del tutto e mi sono messa a giocare: immaginavo di essere la Sirenetta, quella della favola, e facevo finta che al posto della cuffia gialla ci fossero lunghi capelli biondi e che la piscina fosse l'oceano. Immaginavo anche di essere un granchio ferocissimo e di dare un pizzicotto tremendo nel sedere di Petula.

Petula!? Ma che razza di nome è? Sembra quello di una verdura: «Senta fruttivendolo, per favore mi dia un chilo di patate, tre limoni e due mazzetti di "petula" che oggi faccio maiale arrosto». Bleah!

Finita la lezione, sono tornata nello spogliatoio e mi sono accorta che la mia borsa non c'era piú. La mamma è diventata una furia ed è andata a protestare col bagnino mister-muscolo. Era cosí arrabbiata che sembrava un guerriero ninja. Furio e Petula si sono messi subito a cercare la borsa, ma intanto io stavo lí tutta bagnata e tremante di freddo. Alla fine è venuto fuori che qualche spiritoso l'aveva nascosta in uno dei gabinetti. Cosí finalmente ho potuto asciugarmi e rivestirmi.

Spero di buscarmi una polmonite o almeno un raffreddore, cosí potrò saltare le lezioni di nuoto per un po' di tempo.

Mercoledí 20 gennaio

Caro diario,
ho soltanto pochi minuti per scriverti
perché la mamma fra poco mi accompa-
gnerà a danza. Purtroppo, nonostante
quello che è successo ieri in piscina, non
mi è venuto neanche un leggero mal di
gola e continuo a scoppiare di salute. Ho
davvero tutte le sfortune!
Ieri ho detto alla mamma che penso di
non andare piú dal professor Perotto. Ho
fatto la faccia da "bambina-eroina-martire
che si sacrifica per una giusta causa" e le
ho detto che non mi sembra giusto che lei
debba spendere tanti soldi per le mie
lezioni di piano e che io mi sento in colpa
per quell'assegno che stacca ogni mese. La
mamma mi ha sorriso dolcemente e ha
detto che per me lei e il babbo vogliono
solo il meglio.
Allora ho perso la pazienza e ho cominciato a gridare che il professor Perotto mi

sta antipatico, che il pianoforte non mi piace e che se proprio devo suonare qualcosa preferirei la batteria o la chitarra elettrica.

La mamma si è arrabbiata e ha urlato:
– BASTA!

Poi ha mormorato qualcosa, del tipo che il piano è uno strumento completo e che io dovrò maturare prima o poi. Maturare cosa? Non sono mica una pera, io!!!

E cosí, alle cinque in punto, ero lí ad annoiarmi, seduta sullo sgabello davanti al pianoforte del professor Perotto. Per vendicarmi, immaginavo che un giorno o l'altro, mentre mi mostra come si esegue un pezzo, io gli chiuderò lo sportello della tastiera sulle dita. Lui sarà costretto a cambiare mestiere: farà l'astronauta, il chimico o magari il postino, cosí, invece del piano suonerà i campanelli delle case e magari qualche grosso cane gli azzannerà un polpaccio.

Cosí imparerà a far morire di noia una povera bambina indifesa!

Giovedí 21 gennaio

Caro diario,
è molto tardi stasera e la mamma mi crede già addormentata, ma io non potevo andare a letto senza prima averti raccontato qualcosa.

Stamattina a scuola abbiamo fatto inglese. La maestra Barbara ci ha fatto leggere ad alta voce un brano di conversazione fra due bambini inglesi. Anzi, fra due *Inglish cildren*. Poi ce l'ha fatto tradurre sul quaderno. Io ho fatto solo un paio di errori, anche perché Licia in inglese è bravissima. Cosí ho preso un bel "Brava". Invece a Mirco è andata peggio: quando la maestra ha corretto il suo compito ha sgranato gli occhi, ha fatto un sacco di segnacci rossi e gli ha dato "Malissimo".

Tutto questo per un errore da niente: doveva tradurre "of course" che in inglese significa "naturalmente", ma lui si è confuso e ha scritto "di corsa". La maestra

Barbara ha detto che lui doveva smetterla di prenderla in giro e che doveva mettersi a studiare sul serio.

Il povero Mirco stava lí fermo in piedi e si guardava le scarpe. Mi faceva una gran pena. La prossima volta che c'è il compito di inglese io e Licia abbiamo deciso che ci mettiamo nel banco dietro di lui e lo facciamo copiare. Ma chi si credono di essere questi grandi per offendere cosí dei bambini? Quando sarò grande, io sarò molto diversa da loro: se farò la maestra aiuterò quelli che fanno piú errori; se invece diventerò istruttrice di nuoto, starò in acqua con i miei allievi per rassicurarli; se poi farò la professoressa di pianoforte (ma non credo proprio), non obbligherò nessuno a fare ore e ore di solfeggi; infine, se farò la mamma, darò ogni giorno pane e nutella, patatine fritte e gelato ai miei figli: a pranzo e a cena. E non li obbligherò a lavarsi i denti tutte le volte!

Ieri pomeriggio poi sono tornata a danza. La maestra Simona mi ha chiesto se sabato ero malata e io le ho risposto di sí. Non ho detto proprio del tutto una bugia, perché giocando a basket nel cortile di Enrico qualcuno mi ha dato un tale pestone alla schiena che ho ancora il livido.

Poi mi ha messo alla sbarra e mi ha fatto

vedere il *balansé*, un esercizio che si fa lanciando alte le gambe prima da una parte e poi dall'altra. Per me che gioco a pallone è stato facilissimo, perché è un gesto che assomiglia a quando fai fallo per fermare un attaccante che sta per tirare. Anche Simona ha detto che ero davvero brava.

Però dopo un po' mi sono stufata e, tutte le volte che la maestra non guardava, mi fermavo a riposare. Piú tardi sono arrivate delle altre bambine e cosí alla sbarra eravamo talmente appiccicate che ogni tanto qualcuna si beccava un calcio.

È arrivata anche quella cicciona di Marina, la piú antipatica di tutte. Anche piú di Rita! Si crede un fenomeno e cosí ogni tanto, senza che le maestre glielo dicano, si mette alla sbarra per farci vedere come fa bene lei gli esercizi. Crede che noi siamo invidiose! Farebbe meglio invece a mangiare meno dolci, perché col sederone che si ritrova ormai non sta neanche piú dentro il body.

Caro diario,
fra poco dovrò andare dal professor
Perotto e ho anche una poesia piuttosto
lunga e difficile da studiare a memoria per
domani. Prima, però, devo assolutamente
dirti alcune cose importanti.

Hai presente Rita, quella bambina un
po' spiona, fissata con gli smalti per le
unghie? Come ti ho già detto, non mi è
mai stata molto simpatica, però adesso mi
fa un po' pena perché le è successa una
cosa bruttissima, una cosa che, se capitas-
se a me, chissà che cosa farei!

Questa mattina, mentre stavamo facendo per la terza volta un tema sulla nostra
famiglia, lei ad un tratto è scoppiata a
piangere: ha appoggiato la testa sul banco
e si è messa a singhiozzare in modo cosí
disperato che avrei voluto alzarmi per
andare a consolarla. Il maestro Stefano
l'ha chiamata vicino alla cattedra e hanno

parlato sottovoce, mentre noi guardavamo la scena un po' curiosi e un po' commossi da quelle lacrime improvvise.

La povera Rita aveva un solo fazzolettino di carta e per giunta tutto cincischiato, cosí lui ha dovuto prestarle il suo. Piú tardi, durante l'intervallo, il maestro ci ha detto che in questo periodo Rita ha dei problemi in famiglia e che noi, per aiutarla, dovremo essere molto gentili con lei.

Quando sono tornata a casa ne ho parlato alla mamma e lei mi ha detto che i genitori di Rita si sono separati. Ci sono rimasta molto male e mi è dispiaciuto per tutte le volte che l'ho presa in giro. Forse ogni tanto è cosí antipatica perché vuol far finta di non avere i problemi che ha.

Poi ho chiesto alla mamma se anche lei e papà un giorno si separeranno. Lei mi ha abbracciato e mi ha detto che devo stare tranquilla: noi siamo una famiglia molto unita.

MENO MALE!!!

Mi ha anche detto che certe volte due persone si sposano perché credono di poter stare insieme tutta la vita, invece poi si accorgono di non riuscire ad andare d'accordo e cosí si lasciano.

Io ho fatto finta di capire tutto, ma se ci fossero stati lí i genitori di Rita gliene avrei dette quattro. Ma lo sanno che piange a scuola?

E poi gli avrei detto di sforzarsi un po' e di sopportarsi, come facciamo noi bambini quando ci sforziamo di studiare anche se non ci va tanto o andiamo a fare danza o piano anche se non ci piacciono.

Penso che stasera telefonerò a Rita e le chiederò se qualche volta vuole venire a giocare a casa mia.

Caro diario,

ieri nel compito dei verbi sono andata bene, ho avuto "Buono" che è un bel voto. Quello che non capisco è perché Licia abbia avuto "Ottimo" che è un voto ancora migliore del mio: lei ha copiato tutto da me. Le ho passato un bigliettino con tutti i modi e tutti i tempi, nascosto in un fazzoletto di carta che lei mi aveva chiesto. Eravamo d'accordo cosí. Licia ha copiato tutto quello che avevo fatto io, ma proprio tutto tutto! Perché allora il mio è "Buono" e il suo è "Ottimo"? Valli a capire i maestri!

Anche Luca, quello davanti al mio banco, ha copiato un foglietto che avevo scritto io. Solo che lui ha avuto "Insufficiente". Lí, però, il perché lo so benissimo: siccome Luca fa sempre il prepotente e prende in giro, quando ha bisogno io non lo aiuto. Lui promette di darmele, ma io mica ho paura! L'ultima volta che c'è stato compito di verbi lui ha addirittura rubato uno dei bigliettini che avevo preparato per gli amici. Sono andata su tutte le furie, ma non potevo chiamare il maestro e dirglielo! Cosí non ho detto niente, però stavolta gli ho preparato un bigliettino tutto sbagliato e l'ho lasciato sul tavolo, bene in vista. Quel salame di Luca ha abboccato all'amo come un tonno: ha rubato il foglietto e si è messo a copiare. Io ho anche protestato un po', ma solo perché la cosa sembrasse piú normale.

Quando il maestro ha corretto i compiti c'è stato da ridere perché ogni tanto gli chiedeva: – Luca, sei proprio sicuro che il passato remoto di "cuocere" faccia io cuossi, tu cuossesti, egli cuosse...? – oppure – ...che il congiuntivo presente di fare sia che io facci, che tu facci, che egli facci...?

Tutta la classe rideva e Luca era rosso come un pomodoro maturo. Ogni tanto si girava a guardarmi, ma io facevo la faccia dell'angioletto innocente che non capisce cosa succede.

Ieri sono anche andata alla lezione di piano col professor Perotto: siccome nei giorni scorsi avevo studiato parecchio, ero abbastanza soddisfatta di come suonavo un minuetto di Bach e cosí gliel'ho fatto sentire tutta orgogliosa. Macché, non andava bene niente! Me l'ha fatto ripetere almeno dieci volte e tutte le volte che lo suonavo ci trovava qualcosa di sbagliato e faceva dei gran segnacci con la matita sullo spartito: uno scarabocchio verticale che, secondo lui, vuol dire "piú forte"; una serie di pastrocchi confusi e storti che dovrebbero voler dire "note legate"; una fila di enormi V nere su certe note che dovrebbero segnalare gli accenti; altri sgorbi vari, qua e là, che non mi ricordo neanche piú che cosa vogliano dire. E pensare che quel minuetto ero convinta di suonarlo cosí bene! Insomma, in mezz'ora il professor Perotto ha ridotto il mio spartito a uno straccio e per di piú mi ha fatto passare del tutto la voglia di suonare.

Ho detto alla mamma che forse io e il pianoforte non siamo proprio fatti l'uno per l'altra, ma con lei a volte davvero non ci si ragiona! Pensa che ora, per esempio, mi sta preparando di nuovo un panino con quella schifezza della cioccolata di soia. Sarò costretta a fare di nuovo tutta quella scena della bambina capricciosa che non ubbidisce alla sua

mamma paziente: se continua cosí rischio
di diventare una brava attrice e di vincere
un Oscar prima di compiere i dodici anni.

Caro diario,
ti sveglio presto anche oggi che è domenica, perché fra poco io la mamma e il papà partiamo per andare in montagna. Mica a sciare, però! Magari!!! Invece andiamo a trovare un amico del papà che abita su una montagna cosí bassa che non c'è la neve. Lí al massimo si può fare una passeggiata in mezzo ai campi e ai boschi. Sí, non è male, ma vuoi mettere una bella scivolata col bob? E poi l'amico del papà non ha bambini e cosí mi toccherà stare coi grandi tutto il giorno ad annoiarmi. Come se non bastasse, la mamma ha portato il libro di geografia e il quaderno di matematica: ha detto che devo rifare i problemi che avevo per compito perché li ho sbagliati tutti e che devo ripassare la geografia. I problemi li ho sbagliati per forza!
Ieri, quando ho telefonato a Licia non

era in casa e cosí i problemi ho dovuto farmeli da sola.

La geografia invece la so, la so anche bene. Ma quando la mamma si mette in testa che devo ripassare qualcosa, non c'è verso di farla ragionare: è testarda come un mulo! Allora io faccio finta di niente, dico di sí e poi sto lí un po' col libro davanti e penso ai fatti miei.

Come ieri a scuola: il maestro stava spiegando una poesia che dopo dovevamo imparare a memoria. Era una poesia sulla guerra, triste e un po' noiosa. Io cosí mi sono messa a guardare fuori dalla finestra e ho giocato a immaginare che nevicasse. Facevo finta di vedere i fiocchi che scendevano e i rami degli alberi davanti che diventavano bianchi. A un certo punto però mi devo essere come addormentata perché mi sembrava che nevicasse davvero.

E anche forte! Poi invece ho sentito il maestro arrabbiato che urlava a Monica di stare attenta e mi sono come risvegliata. Non nevicava mica! Era stato come fare un sogno. Quello di immaginarsi le cose è un gioco veramente bello.

Nel pomeriggio, prima di andare a danza, ho chiesto se potevo uscire un po'. Volevo andare a giocare a pallone. La mamma però ha detto che faceva troppo freddo e che era meglio che rimanessi in casa. Veramente il freddo lo sentiva solo lei: io non lo sentivo proprio! Poi, quando mi metto a correre dietro alla palla, mi viene un caldo che mi sembra di andare a fuoco. Dopo mi berrei due litri di aranciata per spegnere un po' quell'incendio.

Comunque con la mamma ieri non c'è stato nulla da fare.

In compenso però ho potuto invitare Rita e Claudia in casa, cosí abbiamo giocato assieme fino alle quattro e mezzo. Rita aveva portato i suoi trucchi, invece Claudia aveva il "Mio Caro Diario", un computerino con l'oroscopo che, se gli metti dentro le date, ti fa vedere quanti cuori ci sono fra te e il bambino che ti piace. A Claudia, per esempio, piace Mattia, quello che gioca bene a pallone, e fra lei e Mattia sono venuti fuori cinque cuori!!! Era tutta contenta. Invece a Rita piace Mirco, però i cuori erano solo tre. Io la data di Roberto la so a memoria e sono sicura che è giusta. Però è venuto fuori solo un cuoricino, invece di quattro o cinque. Sicuramente è il computer di Claudia che funziona male!

Poi abbiamo giocato con i trucchi di Rita e abbiamo tirato fuori un po' dei miei vestiti dall'armadio. Giocavamo a fare le signore che si incontrano dalla parrucchiera e ci facevamo tutti i complimenti:

– Che bel cappello, signora Martina!

– Ha comprato un vestito nuovo, signora Claudia?

– Sta bene con quel rossetto, signora Rita!

A un certo punto si è affacciata la mamma sulla porta e ha detto che facevamo troppa confusione e che truccate cosí sembravamo delle sciocchine.

Io credevo che volesse farci mettere via tutto, invece si è seduta sul mio letto ed è rimasta a giocare con noi: le abbiamo fatto fare la parrucchiera e poi quella che ti trucca per bene, che credo che si chiami estetista. È stato davvero divertente e sono sicura che si è divertita anche la mamma.

Alle cinque sono andata a danza e per fortuna c'era la prova dei costumi per il saggio. Non abbiamo fatto neanche un esercizio e ci siamo divertite da matti a farci vestire e truccare dalle mamme e dalle maestre come se fossimo delle bambole.

Quando si è provata il costume Marina, la Stefania le ha detto brusca: – Meno torrone, Marina, meno nutella e dolci!

Lei è diventata tutta rossa e stava per rispondere, ma con Stefania mica lo puoi fare: se alzi la voce ti mangia! Cosí Marina è stata zitta e tutte noi altre attorno ridevamo senza farci vedere.

Caro diario,
oggi ti sto scrivendo tranquillamente nel mio letto alle dieci, perché ho la febbre e non posso andare a scuola. Questa volta finalmente mi sono ammalata davvero. Tranquillizzati, però, non sto mica cosí male! È solo un po' di raffreddore che ho preso ieri in montagna. È andata cosí: con gli amici del papà, dopo mangiato, siamo andati a fare una passeggiata nel bosco che sta dietro casa loro. Il cielo era scuro e sembrava che dovesse piovere da un momento all'altro. Io ho detto alla mamma che preferivo restare in casa a guardare la televisione perché ieri, verso le cinque, c'era un cartone di *Sailor Moon* che mi piace un sacco: veramente c'è tutti i giorni, ma non riesco a vederne neanche uno perché a quell'ora del pomeriggio sono sempre in giro per piscine e palestre.
Invece la mamma e il papà non hanno

voluto: hanno detto che, invece di inton-
tirmi davanti alla televisione, dovevo
approfittare dell'occasione per respirare
un po' di "aria balsamica" della montagna
e che una bambina della mia età non era
bene che rimanesse sola in casa.

Quella dell'età è una cosa che mi fa
venire i nervi: quando devo andare a comprare qualcosa al negozio di fronte, sono
abbastanza grande e quando devo spazza-
re sono quasi una signorina. Una settimana fa poi, siccome la mamma doveva
andare dalla parrucchiera e io non avevo
ancora finito col compito, mi ha detto che
ero ormai abbastanza grande per rimanere
da sola in casa a studiare. Ora invece, per i
cartoni animati, sono di nuovo troppo piccola!!!

Insomma, per farla breve, sono dovuta
andare con loro. Abbiamo camminato per
un po' su una strada asfaltata, poi su una
strada di terra e alla fine non c'era nemmeno più la strada. Salivamo in mezzo al
bosco, fra le piante, per raggiungere la
vetta della montagna. Io ero stanchissima,
respiravo con la lingua fuori come il cane
di Giulio quando fa le corse. Anche papà
era tutto rosso e sbuffava, però cercava di
non far vedere che faceva fatica e quando
lo guardavo cercava addirittura di sorride-

re. La mamma invece era rimasta un pezzo indietro e ogni tanto si appoggiava a un albero e si teneva una mano sul cuore. Invece gli amici di papà, che erano abituati, camminavano cosí svelti e senza far fatica che sembravano andare in discesa, e non in salita. Ogni tanto esclamavano: – Sentite che bell'arietta fresca!... Respirate a pieni polmoni!... Visto che bella passeggiata?... Tutta natura!... Forza che siamo arrivati!...

Mi facevano una rabbia!!! Li avrei strozzati!

Comunque dopo un'oretta di quella sfacchinata, siamo arrivati in cima alla montagna. Figurati come sono rimasta male quando ho visto che là c'era di nuovo la strada asfaltata e ci si poteva arrivare comodamente in macchina!

Il papà e la mamma, anche se erano distrutti come me, hanno detto che il posto era bellissimo e che valeva la pena di fare un po' di fatica per arrivarci. Mah! In macchina ci si arrivava lo stesso e senza tanti sforzi.

Comunque poi siamo ridiscesi lungo la strada asfaltata.

A un tratto ha cominciato a piovere fortissimo e, anche se avevamo le cerate, ci siamo bagnati tutti. La mamma è anche scivolata sul fango e si è sporcata i calzoni. Io invece mi sono raffreddata e mi è venuta la febbre.

Mentre tornavamo, in macchina, ho detto al papà:

– Vedi che cosa succede a respirare troppa "aria balsamica"?

Lui ha fatto finta di niente.

Qui nel letto, ora, non mi sento tanto bene, però sono contenta perché oggi pomeriggio in piscina non ci vado. E in piú, siccome ho detto alla mamma che mi gira un po' la testa, lei mi ha dato il permesso di non fare i compiti per domani: mi scriverà una giustificazione sul diario.

Oggi pomeriggio finalmente potrò vedere *Sailor Moon* in pace.

Caro diario,
le mamme non sempre mantengono
quello che promettono: la mia, ieri, ci ha
ripensato e non mi ha scritto nessuna giustificazione. Cosí verso le tre mi sono
dovuta mettere a fare i compiti. La colpa è
stata tutta di una pastiglia di aspirina che
ho preso dopo mangiato: in una mezz'o-
retta mi è passata la febbre e verso le due
mi è venuta voglia di giocare. Cosí sono
scesa dal letto, anche perché ero un po'
stufa di fare la malata, e ho tirato fuori i
miei *pelusc* piú simpatici: Foxi la volpe,
Wolf il lupacchiotto, Palla il maialino e
Pelo l'orsetto. Li ho messi tutti a sedere
sul tappeto davanti a me e mi sono messa
a giocare alla scuola. Io ero la maestra e
loro i bambini: io spiegavo la geografia e
la matematica e loro facevano il compito.
Ogni tanto passavo a guardare quello che
facevano e li sgridavo se copiavano. A

Pelo ho anche strappato una pagina perché non aveva capito niente del problema che avevo dato.

A un certo punto, mentre stavo scrivendo una nota a Palla perché chiacchierava troppo, è arrivata la mamma e ha detto che era contentissima di vedermi in piedi e in buona forma e che, se avevo tanta energia e tanta voglia di scuola addosso, potevo fare anche i compiti veri invece che farli fare finti ai *pelusc*.

Io ho protestato perché non era vero che avevo tutta quella energia e anzi mi sentivo ancora un sacco debole. Ma la mamma non ha voluto sentire ragioni. Ha detto: – È meglio se i compiti li fai, sennò resti indietro rispetto alla classe e poi ti tocca recuperare.

– Guarda che io e i compagni non stiamo mica facendo una gara di nuoto! – ho provato a dire io.

La mamma allora ha fatto una cosa che non faceva piú da tanto tempo: ha detto che i bambini bravi non rispondono quando i genitori dicono loro qualcosa e mi ha dato UNO SCULACCIONE!!!

Mica mi faceva molto male il sedere, ma io sono rimasta malissimo, perché anche quando ero molto piccola la mamma non mi sculacciava quasi mai. L'ultima volta successe quando avevo sei anni: volevo stirare una gonna, come faceva lei, cosí attaccai il ferro e la bruciai tutta. La mamma me le suonò, però soprattutto perché aveva avuto paura che mi scottassi.

Allora ho tirato fuori i quaderni e mi sono messa a fare i compiti con un muso lungo un chilometro. Avevo deciso che alla mamma non le avrei parlato piú: MAI PIÚ!

Poi, però, ho visto che era dispiaciuta anche lei di quello che era successo e allora mi ha fatto pena. Cosí sono andata di là con la scusa della matematica e le ho chiesto se mi aiutava a fare il problema, anche se era cosí facile che l'avevo capito anch'io.

Lei allora ha sorriso e mi è sembrata subito piú sollevata: ha fatto un sospiro uguale a quelli che faccio io quando il papà, che mi viene a prendere a scuola, mi toglie lo zaino di dosso e lo porta lui. Cosí ci siamo sedute vicine e mi ha spiegato perché qui ci andava il piú, là il diviso, eccetera. Io ero contenta che avessimo fatto la pace. Anche la mamma, però, era contenta!

Era cosí felice che quando abbiamo finito mi ha chiesto se l'aiutavo a fare un dolce. Cosí mi sono divertita un sacco a pasticciare con la farina, con le uova, con lo zucchero, con il latte e con la marmellata. Abbiamo fatto due crostate: la mamma ne ha fatta una grande con la marmellata di fichi, e io una piú piccola. Io però, oltre alla marmellata, ci ho messo tutte le cose che mi piacciono, come il salame, la nutella e il parmigiano. Poi le abbiamo messe tutte e due nel forno e le abbiamo cotte. Sono venute tutte e due molto carine: dorate e con uno strato di marmellata bello alto sopra. La mamma, però, ha detto che la mia è meglio se la faccio mangiare alle bambole.

Poi c'è stato da rimettere a posto la cucina, perché a preparare le torte avevamo fatto un macello.

Caro diario,
ho detto alla mamma che io a pianoforte non ci vado piú. Lei si è messa a ridere e mi ha risposto che questa è una canzone che ha già sentito, visto che, quando torno dalla lezione col professor Perotto, ripeto tutte le volte le stesse cose. Io ripeterò anche le stesse cose, però so che ho ragione!

Ieri, per esempio, il problema era che suonavo troppo bene. Gli ho fatto sentire il minuetto coi segnacci e, a forza di suonarlo e risuonarlo, è successo che ha cominciato a venirmi proprio come vuole lui. Il professor Perotto ha cominciato a dire: – Sí, cosí!... Molto bene... La, la-la-la, laaaa... Qui staccato... Benissimo!... Dan, da-dan, da-da-dan, dan!... Molto brava!...

I complimenti non mi davano affatto fastidio, anzi mi facevano piacere. Quello che mi dava fastidio erano le pacche che ogni tre secondi mi affibbiava sulle spalle. Infatti Perotto, quando si scalda per un pezzo suonato bene, comincia a darti dei colpetti sulla schiena, con quelle sue manone che sembrano badili, che pare che ti voglia demolire la colonna vertebrale e abbassare le spalle di qualche centimetro. Sono sicura che non lo fa apposta: credo anzi che non se ne accorga neanche. Però sinceramente preferisco fare a pugni con Mattia sul campo di calcio che prendere una decina di quegli affettuosi colpetti.

Cosí, per farlo smettere, ho ricominciato a suonare male il minuetto, come lo facevo prima e anche peggio. Il professor Perotto ha smesso subito di fare complimenti e di pestarmi sulla schiena, però si è arrabbiato come una iena. Ha gridato: – BASTA! BASTA! – e poi si è coperto la faccia con le mani e ha cominciato a scuotere la testa. Io pensavo stesse piangendo e mi stavo già un po' preoccupando. Invece quando le ha tolte ho visto che rideva e allora mi sono messa a ridere anch'io. Sí, perché Perotto non l'avevo mai visto ridere e, con quel suo faccione da rana (ha gli occhi sopra la fronte!), quando ride devo dire che è proprio buffo. Non l'avessi mai fatto! È subito tornato serio e mi ha sgridata: ha detto che non studio, che io lo

68

prendo in giro, che non diventerò mai una buona pianista e che avrebbe parlato con i miei genitori. Era cosí arrabbiato che ho avuto quasi paura che mi picchiasse.

A casa poi mi ha sgridato anche la mamma. Ha detto che in faccia ai professori di piano non si ride e che mi sono comportata veramente male. Io avrei anche provato a spiegarle come era successo tutto, ma lei poi mi avrebbe detto che le bugie non si dicono. Allora ho preferito stare zitta e prendermi la sgridata.

Per punizione domani non potrò uscire fuori a giocare coi miei amici. Tanto non ci riuscivo lo stesso ad andar fuori domani: la maestra Giovanna ci ha dato un sacco di pagine di storia e di geografia da studiare, Giuseppina quattro problemi e il maestro Stefano un testo sull'animale che preferiamo. Fare il testo non è un gran problema, perché mi basta copiarlo da uno di quelli sugli animali che abbiamo fatto l'anno passato. Comunque io e Licia abbiamo provato lo stesso a far vedere al maestro quanto compito avevamo già sul diario. Lui si è messo a ridere e ha detto che alle scuole medie ce ne daranno anche il doppio.

Spero davvero che stesse scherzando!

Caro diario,
oggi durante l'intervallo ho litigato con Giulio e ci siamo anche picchiati. Lui mi ha strappato un bottone dalla camicia ma io gli ho graffiato un orecchio cosí forte che era diventato rosso come un pomodoro.

Per fortuna il maestro Stefano non ci ha visto, sennò lo sentivamo! Dice sempre che dobbiamo spiegarci a parole, che dobbiamo discutere, scambiarci i nostri punti di vista senza esagerare. Ma scusa, come si fa a non esagerare quando devi convincere uno che non vuole assolutamente darti ragione?

È andata cosí: mentre aspettavamo il nostro turno per provare il nuovo videogame spaziale di Piero, quello dove devi ammazzare i mostri che scendono dall'alto, parlavamo di cosa faremo da grandi. Giulio ha detto che vuol fare il pasticciere perché è molto goloso; oppure l'avvocato perché si guadagnano un sacco di soldi. Poi ha aggiunto che nel tempo libero vuole anche andare a caccia.

Io gli ho detto che non capisce niente perché non è affatto bello ammazzare gli animali. Anzi, gli ho detto pure che io voglio fare la guardia forestale e mettere in prigione i cacciatori. Lui mi ha guardata come se fossi uno scarafaggio e mi ha fatto la lingua.

A quel punto non ci ho visto più e gli sono saltata addosso: lui mi ha dato un pugno, ma io l'ho graffiato sulla guancia e sull'orecchio. Poi gli ho dato uno spintone e gli ho detto che noi non eravamo piú amici, che si trovasse qualcun altro per giocare a calcio o per andare al fiume! Dopo gli ho girato le spalle e me ne sono andata a provare il videogame di Piero.

A me piace ammazzare i mostri nei videogiochi, questo sí, ma non gli animali veri. Quelli sono belli da vivi, mica da morti! Io una volta, per esempio, ho visto sulla strada un gatto schiacciato da una macchina. C'era un sacco di sangue per terra e il gatto sembrava uno straccio sporco. Non era per niente un bello spettacolo.

Perciò spero che Giulio cambi idea: non

credo che mi farebbe piacere, quando sarò una guardia forestale, dovergli mettere le manette e portarlo in prigione.

Ieri pomeriggio sono rimasta in casa fino alle cinque, quando sono andata come tutti i mercoledí a danza. Devo dire che tutto sommato mi sono divertita abbastanza anche ieri, perché avevamo le prove del saggio: prima Stefania ci ha fatto vestire e ci ha controllato una per una. Con Patrizia ha avuto qualcosa da dire perché il suo *scignon* non era perfetto. La maestra Simona non tanto, ma Stefania ha un po' la mania della treccia rigirata come una ciambella sulla testa e se trova un capello fuori posto grida subito.

Poi abbiamo ballato come se fossimo state sul palco, davanti al pubblico. C'erano anche quattro delle ragazze più grandi che ballavano con noi piccole. Devo dire che sono proprio bellissime e che da grande mi piacerebbe essere come loro. Il balletto si chiama "Le marionette" e la musica l'ha scritta un compositore tedesco di duecento anni fa. Ma sarà lo stesso di Perotto? Boh!

Comunque è una danza molto carina e noi siamo state cosí brave che alla fine le nostre maestre ci hanno applaudito. Sí, mi ha fatto piacere, però devo dire che è

molto piú emozionante quando ti applau-
de un sacco di gente in un teatro: tutte
quelle mani che battono sembrano il rumore di un temporale. Non si capisce piú
niente: il cuore batte forte, ti inchini e
scappi via.

Venerdí 29 gennaio

Caro diario,
sono le 8 e 15 e fra qualche minuto entreremo in classe. Cosí ne approfitto per raccontarti quello che è successo ieri.

Ieri in piscina ho fatto una figuraccia davvero incredibile! È tornata Paola e io, per farle vedere che ho imparato a stare a galla, sono voluta restare nella piscina dei grandi. Ho fatto avanti e indietro un paio di volte tutta orgogliosa, poi mi sono fermata perché l'istruttrice mi facesse i complimenti e mi sono accorta che mi mancava il braccialetto d'oro che mi aveva regalato la nonna Angela. L'ho detto a Paola e lei allora ha chiamato Furio che si è tuffato con una maschera e si è messo a cercare sul fondo. Ha passato la piscina al setaccio senza trovare niente. Allora anche Paola si è messa una maschera e si è tuffata a cercare. Ma anche in due non trovavano niente. Dopo un po', però, mi è venuto in mente che il braccialetto quel pomeriggio non ce l'avevo: l'avevo lasciato a casa, sulla mensola del bagno, perché l'avevo tolto per lavarmi. Non sapevo come fare a dirlo ai cercatori. Allora ho fermato Paola e ho cercato di farle capire che potevano anche lasciar stare, perché era un braccialettino minuscolo, leggerissimo, di oro quasi falso: praticamente senza valore...

Ma lei niente. – Non ti preoccupare piccola, che te lo ritroviamo! – ha detto sicura di sé. E cosí, siccome stava per rituffarsi, le ho dovuto dire la verità. Per fortuna l'ha presa bene: si è messa a ridere cosí forte che in piscina si son girati tutti a guardarla. Poi hanno cominciato a ridere tutti, anche se non sapevano bene cosa c'era da ridere, perché Paola ha la risata contagiosa. E cosí mi sono messa a ridere anch'io, anche perché ero contenta che la mia istruttrice non si fosse arrabbiata. L'unico che non rideva era Furio, il bagnino mister-muscolo, che mi guardava come se fossi stata una mosca bianca o una pecora con sei zampe.

Poi ci siamo rimessi a nuotare e tutto sembrava tornato normale, quando Vittorio, un bambino cosí magro che sembra una radiografia, si è tuffato e nel tuffo ha perso il costume. Allora sono ricominciate le risate e stavolta rideva anche Furio.

Mi scappava da ridere anche con la signora Judith, a inglese, dopo la piscina. Il gioco dello *yes, yes, nou, nou* ha funzionato ancora, anche se lei un paio di volte mi ha guardato con l'aria strana.

La sera, quando sono tornata a casa, avevo ancora cosí tanto compito da fare che mi sono addirittura scordata di raccontare alla mamma del braccialetto perso nell'acqua: dovevo studiare ancora scienze e ripassare tutti i verbi perché oggi abbiamo una verifica e non voglio pigliare un votaccio. L'ultima volta che ne ho preso uno, il papà mi ha fatto una ramanzina di un'ora a base di: «...le cose si fanno seriamente... questo per te è come un lavoro... io e la mamma cerchiamo di aiutarti in tutti i modi... bisogna imparare ad essere responsabili...» eccetera.

Non voglio certo correre il rischio di sentire un'altra predica come quella!

Ora ti chiudo, caro diario, anche perché scrivere appoggiata al ripiano dell'attaccapanni non è per niente comodo.

Caro diario,

è sera e ho un po' di sonno, ma ti voglio lo stesso raccontare quello che è successo oggi a danza. Marina l'ha fatta grossa: stavamo tutte lí alla sbarra a provare le posizioni. Stefania suonava il pianoforte e Simona guidava l'esercizio.

– Uno, due, tre, quattro, cinque e sei. Da capo! Uno, due, tre, quattro, cinque e sei...

A un tratto si è sentito qualcuno che fischiettava: Stefania ha smesso di suonare e ha chiesto tutta arrabbiata chi era stata. Nessuno parlava. Poi Marina ha detto:

– È stata Martina. L'ho vista io!

– Cosa??? – ho urlato io. – Ma se io non sono neppure capace di fischiare! Guarda, Stefania! – e poi ho messo le labbra in fuori e ho provato a soffiare l'aria un paio di volte, ma non è venuto fuori neanche un suono.

Stefania e Simona mi hanno guardato un attimo serie serie, anche se con gli occhi mi sembrava che ridessero. Poi hanno parlato fra di loro. Io già credevo che mi mandassero fuori, invece sono rimasta molto sorpresa quando hanno cacciato dalla palestra quella bugiarda antipatica di Marina. Dopo mi sono sentita piú leggera e, quando abbiamo ricominciato con gli esercizi, mi sono impegnata moltissimo, perché con due maestre cosí intelligenti non ci tengo proprio a fare brutta figura.

Quando siamo andate a cambiarci alla fine dell'ora, Marina era già andata via. All'inizio volevo quasi picchiarla, poi però ho pensato che ha fatto una tale figuraccia davanti alle maestre e alle compagne che non vale neanche la pena di darle un calcio.

Ieri, invece, da Perotto mi sono quasi divertita: io suonavo il solito pezzo del tedesco e lui a un tratto ha detto che ero troppo tesa, che dovevo rilassarmi. Ma come si fa a sentirsi tranquilli vicino ad un omone sempre scontento di quello che fai, che non ti dice mai qualcosa di carino e che per farti un complimento ti tempesta di pugni alla schiena!

Comunque, visto che ero tesa, mi ha fatto fare una ginnastica speciale per rilas-

sare i muscoli del pollice. Cosí sono rimasta per un quarto d'ora a far girare i polli-
cioni avanti e indietro, con le altre dita
tutte appoggiate al tavolo. Mi stavo proprio scocciando di quella stupida ginnastica, quando mi sono resa conto di quanto
era ridicola quella situazione: trovavo assai
buffo che i miei genitori pagassero trenta
o quarantamila lire all'ora perché Perotto
mi tenesse lí a girare i pollici.

Cosí mi sono messa a ridere e il professore come sempre si è arrabbiato. Io gli ho
detto che non ridevo delle sue lezioni, ma
lui mica ci ha creduto. Sí, perché Perotto
non ha proprio il senso dell'umorismo, ma
non è neanche del tutto stupido.

Caro diario,
ci risiamo con la confusione del "grande
e piccola". Oggi devo aiutare la mamma a
pulire il tappeto che abbiamo in salotto,
dato che ormai sono abbastanza grande
per usare l'aspirapolvere. Poi devo mettere a posto la mia camera perché non sono
piú cosí piccola da lasciar fare tutto agli
altri. Stasera poi il babbo e la mamma
vanno a cena da alcuni loro amici e mi
lasciano a dormire dalla nonna, tanto
ormai sono abbastanza grande per dormire una notte senza di loro.
E allora perché invece sono di nuovo
troppo piccola quando si tratta di andare
la domenica mattina al cinema qui vicino
con Alessio, Lucia e Caterina, a vedere *La
Carica dei 101*? Troppo piccola per sapere
da sola se mi piacciono la piscina, la danza
e il pianoforte; troppo piccola per spendere i soldi del mio salvadanaio come mi

pare! Devo sempre chiedere il permesso alla mamma e questo non mi sembra giusto. Lei mica chiede il mio quando vuole comprarsi una gonna nuova!

E pensare che il papà mi dà cinquemila lire a settimana, piú mille lire ogni volta che prendo un "Ottimo" a scuola (cioè mica tanto spesso). Perché mai mi daranno una paghetta settimanale se poi non la posso spendere come mi pare? Io vorrei per esempio quella rivista là, come si chiama…, quella con il poster delle *Spais Gherls* con le chitarre in mano e la foto con la firma autentica di quell'attore che fa il mostro nel film di Dracula. La mamma ha detto che la rivista non era per bambini e che neppure i film dell'orrore andavano bene.

Certo, io lo so che i film che fanno paura non vanno bene per i bambini, però mi piacciono tanto! Mi diverto un sacco a farmi spaventare dai mostri della televisione o da certi fumetti, anche se poi la notte non riesco a prendere sonno.

Anche per i miei compagni è lo stesso: Marco, per esempio, fa la collezione dei giornalini horror, con le mummie, gli zombi, i fantasmi, i topi e i serpenti. Sua mamma non gli dice niente. Anzi, glieli compra! Cosí ogni tanto lui ne porta a

scuola uno e noi ce lo leggiamo di nascosto, durante la ricreazione, in un angolo
del giardino. Poi ogni tanto ci divertiamo
a raccontarci qualche storia orribile per
farci paura l'uno con l'altro. Caterina ne
conosce di quelle incredibili, con streghe,
mostri e uomini che diventavano lupi... O
lupi che diventavano uomini... Boh! Non
ricordo proprio.

Quando tocca a me raccontare, invece,
non si spaventa nessuno e questo mi fa
una gran rabbia. Del resto, se non mi
posso comprare i giornalini che voglio,
che cosa potrei raccontare io di spavento-
so? Del professor Perotto e dei suoi scarabocchi? Dell'istruttrice di nuoto? Della
danza?

Ieri a danza abbiamo "lavorato" molto
sulle punte. Ho messo il salvapunte nelle
scarpette, ma sentivo un gran male lo stesso e stavo con le gambe piegate. Stefania
dice che dopo due o tre anni non si sente
piú niente. Io spero però che la mamma si
convinca prima a farmi smettere di venire
a danza! Del resto se noi uomini e donne
dovevamo camminare cosí, io penso che la
natura ci avrebbe fornito come minimo di
un paio di zoccoli duri come quelli dei
cervi o dei cavalli.

Lunedí 1 febbraio

Caro diario,
ieri sera il papà e la mamma erano invitati a cena dai loro amici, i signori De Santis, che festeggiavano il ritorno dal servizio militare di loro figlio Gilberto. A me Gilberto sta molto simpatico perché quando mi incontra mi dice sempre «Dammi il cinque!», e mi porge la mano con il palmo rivolto all'insú. È un bel ragazzo alto, ha gli occhi verdi e un pizzetto che lo fa sembrare piú vecchio. Però non tanto vecchio!
I miei genitori mi hanno detto che non potevo venire perché si faceva sicuramente troppo tardi e cosí io sono andata a dormire a casa della nonna Angela, la mamma della mia mamma. Da lei vado sempre volentieri, però stavolta un po' mi è dispiaciuto, perché avrei voluto anch'io salutare il mio amico Gilberto.
Mi hanno portata là e, dopo circa venti

minuti di raccomandazioni, finalmente la mamma e il papà se ne sono andati. Io mi ero portata una borsa con il pigiama, lo spazzolino e Palla e Pelo, che sono il mio maialino e il mio orsetto e dormono sempre con me. La mamma mi ha naturalmente fatto portare anche il libro di storia e geografia per farmi ripassare, io però non ne ho nessuna voglia perché ho già studiato tutto benissimo ieri. E poi la nonna è buona e non mi dice mai niente...

Lei vive da sola perché suo marito, il nonno Loris, è morto ormai da tanti anni. Io non ho fatto in tempo a conoscerlo, perché sono nata dopo, ma la nonna tiene sul cassettone una sua foto in una cornice d'argento e mi dice sempre che era tanto buono. A volte la nonna parla con quella foto e immagina che il nonno dica sí o no con la testa. Questo la fa sentire meno sola, me lo ha confidato lei. Io le ho chiesto tante volte perché non viene a vivere da noi, ma lei mi ha risposto che è abituata a essere indipendente e a fare tutto quello che le viene in mente alle ore piú strane. Certe volte infatti si sveglia alle cinque e non riesce piú a riaddormentarsi. Cosí si alza e magari si mette a fare una torta di mele oppure a sferruzzare un maglione per me.

Ieri sera la nonna Angela aveva preparato l'impasto per la pizza. Sul tagliere, sotto una tela pulita, ce n'era un mucchio gonfio come un pallone da basket. Ne ha dato un pezzetto anche a me con un piccolo matterello e poi abbiamo cominciato tutte e due a tirare le pizze. Io ne ho fatte due piccole per Palla e Pelo, invece la nonna ne ha preparate sei.

A me sembravano troppe, ma lei mi ha spiegato che quando fa delle cose un po' "speciali" come la pizza o la polenta o le frittelle di zucca, ne prepara sempre di piú per i suoi vicini di pianerottolo che sono due sposini giovani e che queste cose non le sanno fare.

Sulle pizze crude abbiamo steso il pomodoro, la mozzarella e qualche acciuga. Poi abbiamo messo tutto in forno. La nonna ha una cucina un po' vecchiotta, ma il forno è ultramoderno e cuoce molte pizze in una volta, perché è ventilato e il calore va di qua e di là.

Una volta cotte, le mie pizzette le ho date ai miei *pelusc* e altre ce le siamo mangiate io, la nonna e gli sposini dell'appartamento vicino.

Dopo cena, la nonna ha tirato fuori le carte e io e lei abbiamo giocato a rubamazzo e a pelagallina. Le prime quattro

partite le ho vinte io, ma poi facevo apposta a non rubare il mazzo perché mi dispiaceva che la nonna perdesse sempre.

Alle dieci e mezzo siamo andate a letto e sono rimasta sorpresa nel vedere la nonna che si toglieva i denti e li metteva in un bicchiere sul comodino.

Lei mi ha sorriso e mi ha detto: – Eh, brutta cosa la vecchiaia!

Certo, doversi togliere la dentiera tutte le notti non è una cosa simpatica, ma la vecchiaia, tutto sommato, non mi pare tanto brutta. Anzi, per certe cose è quasi bella. I nonni infatti sono molto piú calmi e tranquilli delle altre persone. Sarà perché non devono correre per andare a lavorare, o perché non devono studiare e fare i compiti. Mah!

Io comunque da anziana sarò come la nonna Angela.

Martedí 2 febbraio

Caro diario,
ti sto scrivendo a scuola perché oggi la maestra Giuseppina è ammalata ed è venuta la bidella a controllarci. Ha detto che, purché non facciamo chiasso, possiamo fare quello che ci pare: leggere, disegnare, eccetera.

Ieri ho scoperto una cosa incredibile: un'altra mamma! No, non nel senso che ora di mamme ne ho due, ma nel senso che la mia mamma non è sempre stata quella persona seria e precisa che conosco. Negli spogliatoi della piscina, infatti, ieri abbiamo incontrato una signora che alle medie è stata sua compagna di banco. Si chiama Miranda e ha un occhio verde e uno nero.

Io guardavo affascinata quegli strani occhi, ma la mamma mi ha dato un pizzicotto sulla schiena e ho capito che non stava bene fissare cosí una persona.

Dopo i soliti: «Come stai?... Com'è bella la tua bambina!... Quello laggiú è tuo figlio? Ma è già un ragazzino!...», hanno cominciato a ricordare i vecchi tempi della scuola. A un certo punto Miranda dice:
– Ti ricordi quella volta che hai fatto finta di avere un attacco di appendicite perché non avevi studiato latino? E il professor Franz ci ha creduto, poveretto!

– Ah sí? No! Cioè sí: quasi non me ne ricordavo piú... – ha balbettato la mamma imbarazzata. Poi ha fatto di tutto per cambiare discorso.

Io ero sbalordita: la mamma che faceva i trucchi a scuola proprio come noi? Sta a vedere che magari copiava anche! E poi ora mi dice sempre che devo studiare, che non devo copiare, che non devo raccontare bugie e che fra noi non devono esserci segreti!

Mah, questa proprio non me l'aspettavo! Non vedo l'ora di raccontarlo a papà. Chissà che faccia farà?!

E chissà se anche lui era davvero uno studente modello come vuol far credere?! Lui racconta che è sempre stato il primo della classe e che a scuola era sempre tranquillo ed educato, ma nelle foto di quando era bambino ha proprio una bella faccia da schiaffi!

Certo che le vecchie foto sono strane: sembra di sbirciare dal buco della serratura in un altro mondo, lontanissimo. Ci sono i nonni giovani, i genitori bambini e un sacco di altre persone (amici, parenti, estranei) che chissà dove saranno adesso.

Nell'album rilegato in cuoio con le lettere d'oro ce n'è una che mi piace molto: c'è il papà-bambino di uno o due anni, in braccio alla nonna Elena. Era tutto vestito di bianco con uno strano paio di calzoncini a sbuffo. Aveva appena vinto il primo premio in un concorso di bellezza per bambini e sulla sua testa c'era un enorme ciuffo, un ricciolo biondo a forma di banana. Era proprio carino, ma quando ora gliela mostro, lui sbuffa, come se gli desse fastidio rivedersi da piccolo. Chissà, forse sbufferò anch'io quando mi rivedrò da grande. Io però il ciuffo a banana non ce l'ho mai avuto e nemmeno me lo lascio fare. Questo è poco ma sicuro!

Adesso ti lascio perché sta per arrivare il maestro Stefano e ho paura che, se ti vede, curioso com'è, voglia darti un'occhiata. A domani.

Mercoledí 3 febbraio

Caro diario,
ieri è stato un pomeriggio davvero infernale. Alle cinque, come sempre, avevo piano e col professor Perotto mi sono annoiata cosí tanto che fra un solfeggio e l'altro ho cominciato a sbadigliare. Ho scoperto cosí che gli sbadigli non si possono trattenere come gli starnuti: la bocca si spalanca anche se tu non vuoi. La mia sembrava l'imbocco di una galleria in autostrada: ci mancavano solo i lampioni accesi e le automobili!
Al terzo sbadiglio Perotto si è innervosito e, dandomi una pacca "amichevole" sulle spalle, mi ha chiesto se volevo per caso un cuscino. Scherzava, certo, ma aveva un'aria cosí poco giocherellona che, per non prendere un'altra pacca, ho fatto di tutto per non addormentarmi: mi pestavo il piede destro col sinistro per farmi svegliare un po' dal dolore e poi, mentre il

professore non guardava, mi inumidivo gli occhi con la saliva per farli stare aperti. E cosí alla fine dell'ora avevo gli occhi rossi, la bocca secca e il piede destro tutto indolenzito.

Dopo la lezione di piano, la mamma poi aveva preso appuntamento con il pediatra per farmi fare una visita di controllo. Io odio andare dal dottore per due motivi. Per incominciare: la sala d'aspetto è sempre piena di mocciosi urlanti e di mamme che sanno parlare solo di "ruttini", "rigurgiti", "cacca" e altre delizie del genere. Il secondo motivo per cui odio andare dal dottor Longo è che mi devo spogliare e la cosa non mi va per niente: quando sto in mutande e maglietta si vedono benissimo due piccole protuberanze che stanno cominciando a crescere sul mio torace.

«Uova fritte» le chiama la mamma, ma a me sembrano due meloni.

Quando siamo entrate nell'ambulatorio il dottore ha stretto la mano della mamma e a me ha spettinato il ciuffo dicendo: – Come siamo cresciuti! Stiamo proprio diventando delle signorine!

«Come sarebbe a dire stiamo?!» ho pensato. «Io, sto diventando una signorina, non tu!»

Non mi sembra tanto normale che un

dottore creda di diventare una signorina! Ma sarà davvero bravo? Ci sarà da fidarsi?

Però il fatto che io sia cresciuta non si può negare, visto che in questo ultimo anno la mia statura è aumentata di quasi cinque centimetri. Lui invece, il dottor Longo, non mi pareva affatto piú alto dell'ultima volta, anzi...

Mentre il dottor Longo appoggiava lo stetoscopio gelato alla mia schiena, io per vendicarmi ripetevo a mente una filastrocca che avevo inventato su di lui:

Buongiorno dottor Longo
la sua faccia sembra pongo
le sue dita sembran ragni
lei ha i calli sui calcagni.

Quella dei calli non c'entra molto, ma l'ho usato per fare la rima!

Mi ha fatto tossire, dire trentatré, mostrare la gola e mi picchiato con un martelletto sulle ginocchia. Poi finalmente è sembrato soddisfatto e mi ha fatto rivestire. Adesso potrò stare in pace fino alla prossima visita di controllo.

Sono proprio curiosa di vedere se la prossima volta il dottor Longo si sarà trasformato in una dottoressa!

Caro diario,
ti scrivo in fretta perché tra poco dovrò andare in piscina e poi a lezione d'inglese.

Oggi a pranzo la mamma aveva preparato delle cose strane: degli spaghetti che non erano di pasta e delle bistecche che non erano di carne. Gli spaghetti erano di soia, mollicci e bianchi; la bistecca invece era di seitan e aveva sapore di sughero.

Poi c'era l'insalata ma, almeno quella, era davvero fatta d'insalata.

Io e papà abbiamo cominciato a fare delle smorfie mangiando e la mamma, che invece si aspettava un complimento, ci guardava male. A un certo punto, sono stata anche costretta a infilarmi un dito in bocca per staccare gli spaghetti dal palato ed ero cosí scocciata che mi è scappato di chiederle:

– Mamma, non ne avevi di pasta normale?

Lei si è offesa. Ha detto che quello era davvero un bel ringraziamento per tutto il daffare che si dava per noi, che la soia è un prodotto naturale e che il seitan è molto nutriente. Poi ha anche aggiunto che la cucina macrobiotica fa bene alla salute ed è "gustosa".

Allora io e papà ci siamo guardati negli occhi e ci siamo messi a ridere. Farà anche bene, può darsi che sia nutriente, ma gustosa proprio no!

La mamma voleva fare l'arrabbiata, ma ha cominciato a ridere anche lei con noi e sembrava che tutti e tre non dovessimo smettere piú. Poi ha tirato fuori dal frigo delle mozzarelle.

– Esperimento fallito! – ha dichiarato, e tutti ci siamo divorati le mozzarelle con l'insalata.

Piú tardi, volevo aiutare la mamma. Cosí ho messo a mollo il bucato in una bacinella con acqua e detersivo. Ma la schiuma ha cominciato a uscire dalla bacinella e non sapevo come fermarla. Dopo aver sciacquato tutto, ho tirato fuori il bucato. Tutto era diventato di un bel rosa acceso, anche le mutande del papà, perché avevo messo un paio di calzini rossi dentro la bacinella.

La mamma per fortuna ha detto che a

tutti, prima o poi, capita di fallire qualche esperimento. L'importante è non prendersela troppo, riderci sopra e riprovarci.

Venerdí 5 febbraio

Caro diario,
ieri il pomeriggio non finiva piú. In piscina Paola ci ha fatto fare almeno dieci vasche senza quasi farci fermare. Lei se ne stava all'asciutto, ci guardava e si sgranocchiava una bella pizza salata. Mi faceva una rabbia!

Poi, a lezione d'inglese dalla signora Judith, è successa una cosa che prima o poi lo sapevo che sarebbe accaduta: sono arrivata alle cinque, come ogni giovedí; la signora Judith mi ha aperto la porta e mi ha fatto accomodare sul solito divano. Poi ha sparato tre quattro delle solite domande e io, come faccio sempre, ho risposto due volte yes e due volte *nou*.

A quel punto la fortuna mi ha girato le spalle e la signora Judith deve aver realizzato in un colpo solo che io delle sue conversazioni non avevo mai capito un'acca. Il sorriso le si è come congelato sulla faccia e le sono diventate pallide persino le lentiggini. Si è seduta, si è presa la testa fra le mani e ha mormorato: – Oh, my God!

Io la guardavo quasi preoccupata e non sapevo che pesci pigliare: mi faceva pena. Dopo un paio di minuti molto imbarazzanti, la signora Judith mi ha detto: – Ma cara, potevi dirmelo prima che non capivi le mie parole.

Io sono quasi arrossita come quando penso a Roberto e ho provato a dirle che non ne avevo avuto il coraggio. Lei per fortuna ci ha creduto. Ha sospirato forte e ha deciso che era il caso di ricominciare tutto daccapo.

Allora ho chinato la tesa e ho sospirato anch'io.

E cosí abbiamo iniziato con l'alfabeto e con i vocaboli piú semplici. Mentre leggevo a voce alta *apple*, mela, *car*, automobile, *dog*, cane, pensavo che questo inglese sarà anche la lingua del futuro ma io, intanto, mi perdo il presente. Infatti non ho mai un pomeriggio intero tutto per me. Ogni tanto sento il papà che si lamenta perché ha troppi impegni. E noi bambini, allora? Licia mi ha raccontato che una volta è stata costretta a fare i compiti nella sala d'aspetto del dentista. Poi, sempre lo stesso giorno, si è dovuta cambiare i vestiti in

macchina, mentre la sua mamma la accompagnava a tennis. Io invece certe volte mi ritrovo a giocare con la mia Barbie preferita in bagno, seduta sul water. Insomma, mi tocca fare due cose in una volta. E ti assicuro che entrambe sono ugualmente importanti, anzi necessarie. Infatti, non so spiegartene bene il motivo, però solo quando gioco mi sento davvero bene. È cosí difficile da capire?

Sabato 6 febbraio

Caro diario,
sono le nove e venti di sera e fra un po'
dovrò spegnere la luce e mettermi a dormire. Avrai notato che ti sto scrivendo con
una penna profumata alla fragola. Me l'ha
data Rita stamattina a scuola in cambio di
un elastico rosa per i capelli con attaccato
un piccolo panda bianco e nero.
Lo scambio gliel'ho proposto io perché
tanto di fermacapelli col panda ne ho un
altro uguale. A me ne serve soltanto uno,
visto che non mi piace farmi le trecce o i
codini che mi fanno sembrare una bambina piccola.
Anche lei è rimasta molto soddisfatta: a
casa ha un'intera scatola di penne profu-
mate alla frutta. Mi ha detto che c'è anche
quella al kiwi, ma io non ci credo mica
tanto. Oggi pomeriggio ho chiesto alla
mamma se potevo uscire un po' in giardi-

no, ma lei mi ha risposto che faceva trop-po freddo.

Poi, però, ha fatto quella faccia birichi-na con gli occhi che ridono, la stessa che fa quando vuole convincere papà a fare qualcosa che non gli piace, come tagliare l'erba o lavare la macchina.

– Potrei invece insegnarti a confezionare uno scialle da sera per la Barbie – ha detto.

Io ho accettato tutta contenta perché la mia Barbie ha solo capi sportivi e niente di elegante da indossare.

Cosí la mamma ha preso dal suo cestino da lavoro due lunghi aghi da calza e un gomitolo di lana celeste con dei filini d'oro. Ci siamo sedute sul divano e mi ha mostrato come si tengono gli aghi: vanno guidati con le dita e tenuti fermi con le braccia.

Lei ci riusciva benissimo e sembrava tut-to molto facile. A me, invece, cascava con-tinuamente uno degli aghi per terra: forse io ho le braccia troppo corte o le ascelle troppo in alto. Mah!

Io però non mollo cosí facilmente. Non per niente sono "Martina la mastina". Co-sí ho continuato a riprovare finché non ci sono riuscita. La mamma ha avviato quin-dici maglie e ha lavorato un pezzettino di scialle, perché all'inizio è piú difficile. Poi, man mano che il pezzetto di maglia si allunga, diventa piú semplice.

– Adesso continua tu. Io vado a preparare la cena – ha detto lei a un tratto, poi si è alzata ed è andata in cucina.

Mi ha lasciato lí sul divano con quei cosi in mano: stavo tutta rannicchiata per paura che mi cadessero e che la mamma sentisse dalla cucina.

Dopo un bel pezzo ero tutta indolenzita ma avevo fatto uno scialle superstupendo. Era cosí lungo che la Barbie avrebbe potuto usarlo come copriletto. L'ho fatto vedere alla mamma e lei si è messa a ridere. Io non capivo e ci sono riamasta male.

Alla fine lei ha sollevato il mio lavoro contro la luce del lampadario e mi sono messa a ridere anch'io. Papà è venuto a vedere che cosa c'era di tanto divertente e noi gli abbiamo fatto vedere lo scialle da sera della Barbie: aveva tanti buchi che ci si potevano infilare tutte le dita delle nostre mani.

Lui, allora, ha detto che la Barbie ne sarà felice perché, se le capiterà di andare al mare, potrà usarlo come retino per i granchi.

Ieri, a lezione di piano, Perotto era noioso come al solito, però almeno non gridava e non mi faceva troppa paura. Poi

a un certo punto, mentre suonavo una sca-
la di re maggiore, mi ha fermato e mi ha
chiesto che cosa erano i puntini rossi che
mi erano spuntati sulla mano destra.

– Puntini rossi?! – ho detto io. – Ma
dove?

Lui mi ha indicato un puntolino sul dor-
so della mano, una cosa quasi invisibile. Io
ho risposto: – Boh?! – e che non mi facevano mica male.

Poi mi sono rimessa a fare scale e il professor Perotto non ha detto piú niente.

Caro diario,
sono le nove di domenica mattina e ti scrivo sull'auto di papà. Scusa per gli scossoni e per gli scarabocchi, ma la strada è piena di buche. Fatico un po' a scrivere, anche perché oggi questi puntini rossi sulla mano destra sono diventati cosí fastidiosi che ogni due minuti mi devo grattare.

Stiamo andando a trovare i nonni paterni, cioè i genitori del mio papà, e pranzeremo da loro. Abitano in campagna, hanno un giardino e un cane simpaticissimo che si chiama Filippo. È un incrocio fra un setter e un'altra razza di cui non ricordo il nome. Comunque è marrone-rossiccio e mi fa le feste quando mi vede.

Io voglio molto bene ai nonni, però non li vedo molto spesso.

Il nonno Celso da giovane faceva il maestro, ma adesso è in pensione. A volte mi racconta di quando litigava con la direttrice della sua scuola e mi fa molto ridere perché dice che era un'orribile donna con un bitorzolo sul naso.

La nonna Elena, invece, non sembra neanche una nonna perché ha i capelli marroni con le *mesc*. Lei dice che io sono il suo "pezzettino d'oro" e che posso chiederle tutto quello che voglio perché non sa dirmi di no.

A poca distanza dalla casa dei nonni abita un bambino che si chiama Roberto. Mi piace molto e credo di piacergli anch'io, anche se nel computer di Claudia c'era solo un cuoricino. Spero di vederlo oggi e di poter giocare con lui.

Ieri sono stata a danza e abbiamo fatto per metà del tempo esercizi e per l'altra metà le prove del saggio. Stavolta mi sono divertita abbastanza anche durante gli esercizi: dovevamo fare il *frappé* che è tutto un lavoro svelto svelto con le punte dei piedi. Io lo sapevo benissimo che cosa voleva dire *frappé*, ma tutte le volte che Stefania lo nominava mi veniva da ridere. Solo dentro di me, naturalmente, perché, se ti vedono ridere sul serio, le mie maestre di danza si arrabbiano peggio di Perotto.

Avevo anche trovato il modo di rendere meno noiosa la tiritera che faceva la

Stefania. Lei diceva: – Uno, demi-plié; due, plié; tre, relevé; quattro, frappé.

Un minuto di pausa e poi da capo: – Uno, demi-plié; due, plié; tre, relevé; quattro, frappé.

Nel minuto di pausa fra un esercizio e l'altro io mi divertivo a continuare e a completare l'esercizio nella mia fantasia: «...cinque, purè; sei, pianta del tè; sette, bignè; otto, coccodè!».

Era divertente anche immaginare quale gesto potesse essere purè, oppure bignè.

Poi, però, mi sono ricordata che al ritorno a casa avevo ancora un bel po' di compito da fare per matematica e anche la cartina dell'Austria. Allora mi è passata la voglia di ridere e non sono riuscita a godermi neanche le prove del saggio che di solito mi piacciono tanto.

Lunedí 8 febbraio

Caro diario,
anche stamattina ti scrivo alle sette perché poi dovrò ripassare Camillo Benso,
conte di Cavour. C'è il suo ritratto sul
libro: è un tipo con una faccia molto antipatica che assomiglia un po' al professor
Perotto e che faceva una guerra dopo l'altra, proprio come Napoleone. Solo che lui
faceva il ministro, non il generale.
Bisogna che impari bene i nomi delle
battaglie, sennò finisce che faccio fare
quelle di Napoleone a Cavour e poi la
maestra Giovanna si arrabbia e mi dà un
votaccio.
Ieri era festa e sono stata dai nonni. I
nonni sono sempre tanto buoni, ma ieri
erano molto piú "sbaciucchiosi" del solito:
mi hanno baciato cosí tanto che alla fine
avevo tutte le guance rosse.
A un certo punto per fortuna hanno
smesso e mi hanno fatto vedere che hanno

piantato in giardino dei cespugli nuovi. Non mi ricordo come si chiamano quelle piante, ma hanno detto che la prossima estate potremo mangiare le more.

A pranzo la nonna aveva preparato le tagliatelle e l'arrosto con le patate. Mi ricordo che una volta, quando ero piú piccola, anch'io l'ho aiutata a impastare la sfoglia delle tagliatelle con le uova e la farina: sullo stesso tagliere lei aveva fatto una sfoglia grande e io una piccola. La mia era cosí piccola che ci sono venute solo quattro tagliatelle: erano un po' storte e appiccicose, ma gialle e quasi belle come quelle della nonna. Ero davvero orgogliosa. Poi, però, la nonna ha messo le sue nell'acqua a cuocere, mentre le mie ha detto che era meglio se le davo a Filippo, il cane. Ci sono rimasta cosí male che a fare le tagliatelle adesso non l'aiuto piú: le mangio e basta.

La nonna aveva fatto anche un dolce che si chiama "riccio" perché assomiglia a un porcospino: ha la forma di una palla con sopra infilati tanti pinoli dritti. Siccome mi piacciono molto, io mi sono rimpinzata di aculei, cioè dei pinoli, e poi ho chiesto alla mamma se potevo andare fuori intanto che c'era il sole.

Ho chiamato Filippo e insieme siamo

andati a invitare Roberto. Lui era contento di vedermi, almeno credo. Infatti mi ha chiesto se volevo fare una gara a chi sputava piú lontano. Io ho accettato e, per non farlo arrabbiare, l'ho lasciato vincere. Poi abbiamo giocato in giardino con il suo pallone, ma lí io ero troppo forte e poi Filippo voleva mordere la palla. Cosí abbiamo lasciato stare e abbiamo provato a turno i suoi nuovi pattini. Io veramente non riuscivo tanto bene a stare in piedi, ma Roberto mi teneva per le spalle e mi insegnava i trucchi per stare in equilibrio. Roberto ha dodici anni e fa la prima media. Mi ha detto che anche lui è sempre molto impegnato: a scuola gli danno moltissimi compiti e poi va in palestra due volte alla settimana a fare judo. Mi ha spiegato che il judo non è uno sport violento, anzi significa "via della dolcezza". Sarà, ma io l'ho visto una volta in televisione: c'erano due in pigiama su un tappeto che sembrava che se le dessero di santa ragione. Di dolcezza mica ce n'era tanta! Mancava solo che si mordessero! Comunque Roberto è già diventato cintura arancione e ne è molto orgoglioso! Va anche a lezione di flauto da un maestro di musica e mi ha confessato che gli scoccia cosí tanto che ha pensato piú di una volta

di buttarlo in un tombino. Il flauto naturalmente, non il maestro!

Alle cinque la mamma mi ha chiamato
in casa e ho dovuto salutare Roberto. È
davvero un tipo simpatico. Ed è anche
carino!

Martedí 9 febbraio

Caro diario,
ti sto scrivendo di nascosto dalla mamma, perché è tardi e dovrei aver già spento la luce da un pezzo. Ma ho bisogno di parlare con qualcuno e per me scrivere sulle tue pagine è un po' come parlare con un amico molto caro. Infatti mi sento molto triste, perché credevo che l'amicizia fosse una cosa bellissima.

Ma non è sempre cosí. Per esempio ieri a scuola, durante la ricreazione, stavamo parlando io e Licia dei nostri "morosi". Veramente io volevo solo sapere chi le piace senza dirle niente di me. Ma poi lei ha insistito cosí tanto che alla fine le ho parlato di Roberto. Le ho anche mostrato una foto dove ci siamo io e lui nel giardino dei nonni mentre stiamo giocando insieme a pallone.

Allora Licia ha fatto una risatina antipatica e mi ha chiesto: – Scusa, Martina, ti arrabbi se ti dico ora che cosa penso del tuo Roberto?

Io ho risposto di no, ma già me lo sentivo che finiva male.

Infatti lei ha cominciato a criticare: – Sí, insomma, è carino. Ma ha le orecchie a sventola! E poi non vedi che è piú basso di te?

Io, anche se non volevo, mi sono offesa e le ho detto che non capiva niente, che era un'oca come Francesca e che anche lei aveva le orecchie a sventola, oltre alla faccia da pizza.

– Sono solo sincera, stupida bambina! – ha ribattuto arrabbiata. – Io sono tua amica e la mia mamma dice che gli amici devono dirsi sempre la verità, anche se non fa piacere!

Io me ne sono andata senza risponderle: avevo deciso che non le avrei parlato mai piú. Ma proprio mai, mai, mai!

Oggi, però, Licia già mi manca un po' e sto pensando in che modo fare la pace: magari la invito qui a casa a mangiare il gelato allo yogurt che la mamma tiene sempre nel frigorifero.

E poi sto pure pensando a quelle cose che ieri mi ha detto: sarà vero o no? Non parlo delle orecchie di Roberto che sono bellissime cosí come sono. Voglio dire, quelle storie sull'amicizia. Ma sarà proprio vero che quando si è amici bisogna dirsi la verità anche se fa soffrire? Non sarebbe meglio invece dirsi qualche piccola bugia e non soffrire per niente?

Vorrei chiederlo a qualcuno, ma non ho ancora deciso a chi: la mamma mi risponderebbe che la mia migliore amica è lei; il babbo ha sempre tante cose importanti da fare che forse non mi ascolterebbe; la maestra Giuseppina pensa solo ai numeri e alle cose di scuola e non capirebbe neppure di che cosa parlo.

Forse l'unica persona che potrebbe starmi a sentire è il maestro Stefano: in fondo ha una certa età e gli sarà pur capitato di discutere con degli amici! Boh? Magari domani a scuola glielo chiedo. Per ora telefono a Licia e tiro fuori il gelato dal frigo.

Caro diario,
siamo sempre alle solite: sono grande
abbastanza da dover tenere in ordine la
mia stanza, ma sono troppo piccola per
avere un diario segreto. Cioè, posso avere
un diario, ma non segreto. Per questo ieri
ti avevo nascosto nella biblioteca, in mezzo a un libro enorme e vecchio che non
legge mai nessuno. Ma la mamma è cosí
precisa che va a spolverare pure sopra i
libri. Forse perfino dentro i libri. Comunque ti ha trovato, insieme alla chiavetta, e
ti ha letto. Poi ha voluto sapere chi era Roberto, dove stava, come andava a scuola,
eccetera, eccetera, eccetera.
A volte la mamma mi fa cosí arrabbiare
che comincio a immaginarmela come se
fosse un essere di un altro mondo, con le
antenne a spirale sulle orecchie, la pelle
verde tutta a squame e le gambe (cinque)
che si muovono a scatti.

Comunque certe cose non succedono solo nella mia fantasia. Figurati che ieri è venuta a prendermi un po' in anticipo dalla lezione di piano per poter andare tutte e due dal parrucchiere. Ha cercato di convincermi a farmi tagliare i capelli, «cosí poi si rinforzano».

Io ho detto di no: mica ci devo sollevare dei pesi, vanno benissimo cosí come sono! E poi la mia coda di cavallo è la cosa che piú mi piace di me. Cosí ho accettato solo di farmi spuntare la frangia.

La moglie del parrucchiere si chiama Silvana e fa l'estetista. L'ho vista che metteva sulle unghie di una signora anziana (avrà avuto almeno trent'anni!) uno stupido smalto lucido cosí trasparente che non si vedeva. Se non si vede, dico io, allora che se lo mette a fare?

Poi è toccato alla mamma: Silvana le ha dato qualche pizzicotto sulle guance e l'ha guardata a lungo scuotendo la testa. Sembrava quasi un dottore. Poi ha cominciato a dire che lo smog e il freddo le avevano invecchiato la pelle, che bisognava "rigenerarla" e che ci voleva una bella "maschera".

Io avevo capito che l'estetista trovava la mamma bruttissima e che per rimediare voleva metterle una maschera come quelle che ci mettiamo noi a carnevale. Cosí volevo darle un calcio, ma la mamma mi ha spiegato che si trattava di una maschera particolare, una "maschera di bellezza".

Infatti Silvana ha versato in una scodella una polvere giallina, ha aggiunto dell'acqua e ha mescolato. Ne è venuta fuori una pappetta verde che aveva odore di cavoli bolliti. A me faceva schifo, invece la mamma si è lasciata spalmare quella cosa viscida sulla faccia. Beh, se quella era una maschera di bellezza, allora io sono Napoleone! Dopo un po' sembrava piuttosto una maschera di gesso. Spuntavano solo gli occhi e la bocca. La roba verde si era indurita e la mamma non poteva neppure parlare: per chiedermi di portarle un giornale ha dovuto scrivermi un bigliettino.

A me scappava da ridere: con quella faccia verde e quei bigodini arancioni sulla testa, la mamma sembrava il mostro di un film dell'orrore o un extraterrestre col mal di testa.

Dopo una mezz'ora, Silvana finalmente le ha sciacquato via quella robaccia e la sua faccia era esattamente uguale a prima!

«Per fortuna!» ho pensato io.

Intanto che aspettavo la "maschera di bellezza" della mamma, facevo finta di ripassare scienze: domani, infatti, abbiamo una verifica scritta e Giuseppina vuol sapere tutto sui pesci. Cosí, visto che quando sarei tornata a casa avrei dovuto fare ancora un testo su una gita in montagna, la mamma ha preso il mio libro per farmi guadagnare un po' di tempo.

Ma ormai sul cavalluccio marino sapevo proprio tutto e perciò ascoltavo di nascosto i discorsi dei grandi. C'erano due signore coi bigodini che parlavano con un'altra che si era fatta i riccioli come Jovanotti. Dicevano: – Ma Camilla, stai benissimo! Tu non invecchi davvero mai! Ma come fai a essere sempre cosí carina?

La signora Jovanotti era tutta pimpante e faceva la ruota come i pavoni. Ma quando se n'è andata, le sue amiche hanno cambiato musica: – Hai visto che ridicola gonna corta?... E quelle rughe sul collo?... La collana era falsa: altro che brillanti, quelli sono fondi di bicchiere!... Con quei tacchi alti poi, se inciampa si ammazza!

Erano linguacce tali e quali a Rita, che ogni tanto a scuola dice a Claudia e a Licia che io non sono un'amica.

Io avevo sentito tutto, ma sono rimasta impassibile a fissare l'illustrazione del cavalluccio marino femmina che depone le uova in una sacca che si trova sopra lo stomaco del cavalluccio marino maschio. Trovavo quegli animali molto piú simpatici di quelle due streghe.

Ho sentito alla tele che gli etologi sono quegli scienziati che studiano il comportamento degli animali. Chissà se esistono anche i "gentologi" che studiano il comportamento di certe persone!

Giovedí 11 febbraio

Caro diario,
a scuola oggi i compagni mi hanno dato
LA SCATOLA. Si tratta del nostro piú grande tesoro: è una scatola da scarpe piena di
gomma da matita macinata fine fine. La
mia mamma e tutte le altre non capiscono
affatto perché lo facciamo, ma a noi non
importa e continuiamo lo stesso a macina-
re le gomme vecchie. Qualcuno di noi
addirittura compra delle gomme morbi-
de e nuove apposta per ridurle in briciole.
In quattro mesi abbiamo già passato la
metà della scatola e possiamo già infilare le mani nei riccioli della gomma. Ora
LA SCATOLA ce l'ho io e cosí ogni tanto
l'apro e ci tuffo dentro tutte e due le mani.
È una sensazione stranissima, sembra di
toccare del muschio, della spugna morbi-
dissima. Anche l'odore è strano: sa di
gomma, ma fa pensare allo spazio, a un
aeroporto, all'interno di un'astronave...

Qualche giorno fa l'ha vista anche il maestro Stefano. – Che cos'è questa roba? – ha chiesto incuriosito.

Gli abbiamo spiegato che era un nostro passatempo e lui ha detto solo: – Ah! Bravi, bravi!

Poi si è messo a fare altro.

Siccome ci ha detto che insegna da vent'anni, io credo che abbia già visto altre scatole di gomma macinata o altri strani passatempi dei bambini, altrimenti ci avrebbe sgridato o avrebbe fatto qualche commento.

Oltre alla scatola c'è un'altra grande novità: il papà ha promesso che domenica mi porta al luna park. Non riesco ancora a crederci davvero. Ho sempre paura che da un momento all'altro mi dica che si era dimenticato di un lavoro importantissimo e che lo deve fare assolutamente di domenica. Vedremo. Intanto io cercherò di fare in anticipo anche i compiti della prossima settimana, cosí il papà non potrà avanzare quella scusa per rimandare tutto.

A parte che ho sempre una montagna di cose da fare, in questi giorni mi va tutto abbastanza bene.

Quasi tutto: i puntini rossi ora mi sono venuti anche alla mano sinistra e pizzicano anche quelli. La mamma dice che non è niente di grave, che ho solo mangiato qualcosa che mi ha dato fastidio. Oppure che sono allergica a qualcosa, come la gomma della mia scatola, per esempio...

Io preferisco credere che sia stato il cibo.

Comunque non fanno troppo male e dopo un po' mi dimentico addirittura di averli.

Venerdí 12 febbraio

Caro diario,
non sono ancora le sette e sono già sveglia. Quando ho aperto gli occhi, cinque minuti fa, non riuscivo ad allungare il braccio per accendere la luce. Allora ho avuto paura che durante la notte mi fosse successo qualcosa di grave. Invece mi ero solo rigirata cosí tanto fra le coperte, che il lenzuolo mi si era attorcigliato intorno al corpo e sembravo uno di quegli arrosti di vitello che la mamma lega ben stretti con lo spago per cuocerli nel forno.

Il fatto è che ieri sera, prima di addormentarmi, ho voluto finire il libro che avevo preso in prestito alla biblioteca di classe. È un libro che parla di streghe con la testa calva e la saliva blu mirtillo. Il signore che lo ha scritto si chiama Roald Dahl ed era uno che aveva una bella fantasia!

Poi ho spento la luce e mi sono addor-

mentata quasi subito. Allora ho cominciato a sognare che anch'io, come il protago-
nista della storia, avevo a che fare con una
di queste malvagie creature. Era la strega
del male supremo: aveva un occhio verde
e uno nero, un grosso bitorzolo sul naso, i
denti da coniglio e delle unghie fosfore-
scenti lunghe almeno dieci centimetri.
Aveva trasformato il bambino del libro in
un topo. Io, invece, non mi lasciavo fare la
magia e le davo un sacco di calci negli
stinchi, ancora piú forti di quelli che rifilo
a Mattia quando giochiamo. Non ero
impaurita nel sogno, ma tanto arrabbiata,
perché quella befana voleva rapire i miei
pelusc e le mie Barbie.

Alla fine ho vinto io e la strega si è sciol-
ta sul pavimento in una pozzanghera di
robaccia viola. Io ero cosí felice che ho
inventato una filastrocca sulle streghe:

Della strega non ho paura
perché amo l'avventura.
Lei ha un lungo, lungo artiglio
e dei denti da coniglio.
Ha un bitorzolo sul naso
ma io non ci faccio caso.

Le rifilo un pizzicotto,
le do un calcio sul ginocchio,
le do un morso su una mano:

lei fa un urlo disumano.
Poi si gira e scappa in fretta,
svelta come una saetta.

Questa filastrocca mi è venuta davvero bene e mi mette allegria. Quello che non mi rallegra è invece questo maledetto sfogo di puntini rossi che continuano a crescere: ieri negli spogliatoi della piscina, mentre mi cambiavo, la mamma ha visto che ora li ho anche sulla schiena. Invece di sparire sembra che aumentino. Cosí ha deciso di portarmi domani dal dottor Longo.

Sabato 13 febbraio

Caro diario,
oggi pomeriggio non sono andata a danza perché la mamma mi ha portato dal dottore. Il dottor Longo "con la faccia che sembra pongo" non si è per fortuna trasformato in una dottoressa. Era serio serio e mi ha visitato con molta piú attenzione dell'altra volta, anche perché stavolta avevo le mani, le braccia e parte della pancia ricoperte da questi noiosissimi punti rossi. Ha fatto alla mamma un sacco di domande: che cosa avevo mangiato o bevuto, se avevo toccato sostanze particolari, se avevo avuto problemi di qualsiasi tipo.

La mamma ha risposto seria seria anche lei. A vederli cosí preoccupati mi stavo preoccupando un poco anch'io.

Poi, invece, mi è tornato in mente il professor Perotto e mi è quasi venuto da ridere: anche lui ieri era nervoso per i miei puntini rossi sulle mani e cosí, invece di starmi seduto vicino come fa di solito, girava per la stanza mentre io suonavo. Ha girato avanti e indietro per tutta l'ora, senza sgridarmi se suonavo male e senza darmi pacche se invece facevo bene. Poi ha detto che è meglio che io non torni finché lo sfogo non mi sarà passato.

Anche il maestro Stefano ieri mattina, a scuola, mi ha detto che era meglio se andavo dal dottore a farmi dare un'occhiata. Io gli ho spiegato che la mamma mi ci portava oggi e lui ne è stato contento. Però non mi stava mica lontano come Perotto, lui. Anzi, mi ha chiamato al suo tavolo e ha voluto che gli mostrassi le mani e che gli spiegassi che cosa sentivo. Poi, intanto che ero lí, ha voluto pure che recitassi la poesia che dovevamo imparare per compito. Ho preso "Ottimo", perché a me le poesie sono sempre piaciute un sacco.

Alla fine della visita il dottore ha detto alla mamma che si trattava probabilmente di una forma di allergia. E anche assai strana, perché di solito le allergie vengono a primavera. Che comunque non sembrava una cosa grave e che, se non mi veniva la febbre, potevo continuare a uscire. Poi mi ha prescritto una pomata e un talco che dovrebbero calmare il prurito che sento. Ha detto anche che però se i puntini aumentano, allora è meglio che la mamma mi porti subito da uno specialista.

Intanto che scriveva la ricetta, io mi divertivo a inventare una nuova filastrocca per il dottore:

Dottor Longo, dottor Longo,
con la faccia come il pongo,
scrivi scrivi la ricetta
e guarisci la bimbetta.
Con il talco e la pomata,
la bambina è già guarita:
già spariscono i puntini
per la gioia dei pulcini.

L'ultima frase lo so anch'io che non vuol dire niente, ma una rima migliore proprio non mi veniva.

Domenica 14 febbraio

Caro diario,
è sera e sono quasi piú stanca di quando il giovedí vado in piscina e a inglese. Però c'è una bella differenza: oggi mi sono proprio divertita! Infatti sono stata col papà al luna park che adesso è in città.

C'è mancato poco che non mi ci portasse neanche stavolta, con la scusa dei puntini rossi e dell'allergia misteriosa.

– Il dottor Longo ha detto che se non ho la febbre posso uscire! – ho protestato io col papà e con la mamma. Loro han tirato fuori che se stavo in casa magari guarivo prima.

– Allora da domani non vado né a scuola, né in piscina o a piano o a danza finché non è scomparso l'ultimo puntino! – ho dichiarato io, "Martina la mastina", col tono da bambina cocciuta che non si lascia facilmente smontare.

Loro si devono essere un po' spaventati

e hanno deciso che, tutto sommato, non faceva poi tanto freddo e forse un pomeriggio all'aperto poteva anche farmi bene. Cosí la mamma mi ha coperta bene bene, e mi ha messo nello zaino la pomata e il talco per i puntini che mi aveva dato il dottor Longo sabato. Pomata e talco li ho messi due volte ieri sera e pensavo stamattina di stare meglio. Invece no! Ora ho lo sfogo anche sulle gambe e comincia a pizzicare anche lí. Non ho detto ancora niente sennò il luna park saltava di sicuro.

La mamma doveva andare a trovare la nonna Angela, cosí siamo andati solo io e il papà. Il biglietto d'ingresso costava piuttosto caro, ma una volta dentro si poteva salire su tutti i giochi tutte le volte che si voleva.

Guardando i vari padiglioni, il papà ha cominciato subito a dire:

– Qui è meglio se non ci sali... Questo è troppo pericoloso... Qui ti gira di sicuro la testa... Questo non è divertente...

Insomma li scartava tutti! Per lui erano adatti a me solo la giostra coi cavallini e le altalene. Ero arrabbiata e delusa, ma ho cercato di non perdere la calma. Siccome volevo salire sulle montagne russe, gli ho detto che poteva salire lui per primo, per vedere se era davvero cosí pericoloso.

Prima si è messo a ridere e ha detto: – Io sulle montagne russe? Ma non sono mica piú un bambino!

Poi, quando gli ho chiesto se per caso aveva paura, ha fatto il superiore ed è salito addirittura sul primo vagoncino. È stata una scena bellissima: mentre il trenino saliva papà si guardava attorno preoccupato. In discesa invece, stava incollato al sedile e gridava come un disperato. Però dopo un po' ci deve aver preso gusto, perché gridava ancora, ma si sentiva bene che erano grida di gioia. Aveva cominciato a divertirsi.

Quando il trenino si è fermato, invece di scendere, il papà ha fatto cenno a me di salire. Io mi sono seduta accanto a lui e insieme abbiamo fatto tre giri divertentissimi.

Poi l'ho portato sulla "Centrifuga", sul "Vascello fantasma", sulle "Tazze sonore", sull' "Orchestrina volante", sul "Sommergibile atomico", sul "Viaggio fra le stelle" e in almeno altri dieci giochi. Papà si è divertito forse piú di me: sembrava quasi un bambino anche lui. Ha detto che in questo luna park ci dobbiamo tornare e portare anche la mamma.

A mezzogiorno ci siamo fermati a mangiare qualcosa in un *fasfud*, che è un posto dove cucinano cose deliziose che a casa mia non si mangiano mai. Io ho divorato due panini con dentro un salsicciotto caldo e un piatto enorme di patatine fritte col *chècciup*, che è una salsa rossa come il ragú, ma è dolce. Il papà, invece, ha mangiato un *cisburgher*, che è un panino a due o tre piani e quando lo mordi ti cola tutta la salsa sulle dita. A vederlo non sembra granché, però a lui è piaciuto molto.

Mi sono accorta solo verso sera che oggi al luna park non mi sono grattata neppure una volta: forse la pomata e il talco del dottore funzionano davvero.

Lunedí 15 febbraio

Caro diario,
stamattina mi sono svegliata alle cinque con un prurito incredibile addosso: stanotte i puntini rossi hanno fatto come i funghi dopo la pioggia e mi sono cresciuti dappertutto. Ero un mostro, credevo di averne di averne perfino sulla lingua. La mamma e il papà, a vedermi ridotta in quello stato, si sono spaventati moltissimo e cosí oggi pomeriggio mi hanno portato in una clinica privata da uno specialista, come aveva consigliato il dottor Longo. La clinica pareva una base spaziale: vetrate enormi, ascensori trasparenti, luci forti e musica in sottofondo. Aveva anche porte senza maniglie che si aprivano da sole un attimo prima che io ci andassi a sbattere col naso. Una vera meraviglia!
Nella sala d'attesa dell'ambulatorio c'era un grande cartello: ALLERGOLOGIA. A me questa parola non piaceva per niente e cosí

ho chiesto alla mamma se mi avrebbero fatto male. Lei mi ha rassicurata: – Stai tranquilla, non aver paura. Ti faranno solo delle prove per vedere a che cosa sei allergica.

Non è che io ne sapessi molto piú di prima, però visto che la mamma era tranquilla, mi sono calmata anch'io. Intanto che aspettavamo il nostro turno, ho letto due numeri di *Topolino* e uno di *Dodo*.

Poi finalmente è toccato a noi: siamo entrate nell'ambulatorio e lí c'era un dottore con gli occhiali in cima al naso e la barba a punta, che mi ha visitato. Era gentile e deve essersi accorto che ero nervosa, perché mi ha dato una pacca leggera sulla spalla (non come quelle del professor Perotto). Poi mi ha fatto soffiare in un coso con una specie di cannuccia e mi ha spiegato che serviva a misurare la capacità dei miei polmoni.

«Che cosa c'entrano i polmoni con i puntini rossi?» ho pensato io, stupita.

Il dottore, come se avesse letto i miei pensieri, ha cominciato a spiegare che se una persona ha delle allergie e magari anche dei punti rossi, può significare che ha anche dei problemi respiratori, come l'asma o cose cosí.

Io non ci ho capito mica tanto, però ero molto impressionata per via del fatto che lo specialista era capace di sentire quello che pensavo. Forse è uno specialista proprio per questo. Allora ho deciso che era meglio non inventare filastrocche come faccio di solito con il dottor Longo.

Comunque, sia lui che la mamma mi parevano tranquilli.

Poi mi ha fatto dei disegni sulle braccia con un pennarello nero e uno rosso, ci ha versato sopra delle gocce e quindi sulla pelle ha fatto dei forellini minuscoli con la punta di un ago. Ma proprio appena appena: non ho neppure sentito male, solo un po' di pizzicore.

– Adesso devi essere coraggiosa! Devo prenderti un po' di sangue per le analisi! – mi ha detto lo specialista-indovino e naturalmente mi sono preoccupata un sacco. Infatti ha preso una siringa e mi ha stretto un laccio intorno al braccio. Lo ha legato cosí forte che mi faceva un male cane e che pensavo che il braccio si sarebbe staccato. Poi ha sfregato un po' con del cotone con l'alcol e mi ha infilato l'ago di una siringa nel braccio. Intanto che lo faceva, lo specialista diceva che se la vista del sangue mi dava fastidio potevo tenere gli occhi chiusi. Ma io sono "Martina la mastina": ho stretto i denti e non ho pianto nemmeno un po', anche perché la mamma mi aveva promesso che se fossi stata brava mi avrebbe finalmente regalato la Barbie subacquea che desideravo da tanto tempo.

Lo specialista-indovino mi ha cavato due siringhe di sangue (che sia anche un vampiro?) e ha detto che i risultati degli esami ci diranno la causa dei puntini rossi. Poi ci ha mandate in un altro ambulatorio, lí accanto.

– Ma, mamma, non abbiamo ancora finito!? – ho chiesto io scocciata. Lí c'era un altro cartello con su scritto PSICOLO-GIA INFANTILE e io mi sono sentita un po' offesa perché a scuola quando la maestra Giovanna parla di qualcuno che fa lo sciocco e non capisce niente, dice sempre che è infantile.

La mamma però mi ha spiegato che "infantile" non è una parolaccia, ma che significa che c'entrano i bambini.

La psicologa era una signora con gli occhiali anche lei, i capelli rossicci e un paio di orecchini bellissimi a forma di cuore, d'oro e con un brillante in mezzo. Io ho pensato che quando sarò grande me ne comprerò un paio uguale a quelli. La dottoressa parlava con voce calma e dolce: mi ha fatto domande sulla scuola, sulla mia famiglia e sul tempo libero.

– Tempo libero? Quasi non so neanche che cos'è! – ho detto io.

Poi mi ha chiesto di disegnare delle cose: me stessa, i miei genitori, i miei amici, la mia casa, i miei giocattoli preferiti. Alla fine mi ha mostrato delle stranissime macchie colorate su dei fogli di carta.

– Forse qualche bambino ha rovesciato dei colori a tempera qui sopra? – ho domandato. Lei ha sorriso e fatto no con la testa, con gli orecchini che dondolavano di qua e di là. Infine mi ha fatto scegliere uno dei giocattoli che aveva in un cestino: una bambola, un orsacchiotto, una pallina di stoffa, dei cubi colorati e delle sagome di plastica che raffiguravano delle persone. Ho tirato fuori l'orso di *pelusc* perché mi ricordava il mio.

Finalmente ce ne siamo andate per davvero. Ero stanca e mi prudeva tutto, ma la mamma ha proposto di passare dal negozio di Irma, la giocattolaia piú simpatica che c'è, per comprare qualcosa.

Io ero un po' indecisa fra la Barbie subacquea e il "Mio caro diario" come quello di Francesca (gliel'ho sempre invidiato un po'). Stavo quasi per scegliere, quando all'improvviso la mamma ha detto che me li comprava tutti e due. Doveva proprio essere molto preoccupata per me!

Siamo tornate a casa e ho provato subito il "Mio caro diario". Lo sapevo: fra me e Roberto sono saltati fuori quattro cuoricini, altro che uno solo! Ero così contenta che neppure sentivo più il prurito.

Adesso devo andare a cena: la mamma mi tiene a dieta in bianco, perché ancora non si sa a che cosa sono dovuti questi orribili puntini. E se fossi allergica al professor Perotto?

Caro diario,
oggi è un gran giorno! Mi sento felice come quando sto per aprire le uova di Pasqua e trovare le sorprese.

La mamma è andata a ritirare gli esami e i risultati delle visite mediche che ho fatto. I dottori le hanno fatto dei discorsi con dei gran paroloni, comunque sembra che io non sia allergica proprio a niente. La mia malattia è scritta qui su un foglietto che la mamma mi ha dato il permesso di conservare per ricordo. C'è scritto REAZIONE PSICOSOMATICA ALLO STRESS. Io non capivo bene che cosa vuol dire, e allora la mamma e il papà mi hanno spiegato che è lo stress che mi fa venire i puntini rossi sul corpo, e che questo stress ti prende quando fai cose che non ti piacciono o ne fai troppe.

Insomma, se voglio guarire non dovrò piú andare a lezione di pianoforte, di danza, d'inglese e di nuoto. EVVIVA!!! Non credo di aver mai preso una medicina piú volentieri: mi sembra quasi che i puntini rossi già si stiano schiarendo.

I bambini devono avere il tempo per essere bambini. Devono andare a scuola, stare con i loro coetanei, e giocare, giocare, giocare. Il gioco ha una funzione importantissima per la loro crescita e il raggiungimento dell'autonomia.

Cosí ha scritto su un altro foglietto la dottoressa con gli orecchini a forma di cuore.

Ci voleva tanto a capirlo? Io alla mamma e al papà glielo dicevo da un pezzo e con parole piú semplici! È anche vero però che non sono una dottoressa.

Insomma se voglio (e solo se lo voglio) potrò iscrivermi nella squadra di pallavolo con Licia, cosí finalmente potrò imparare a fare le schiacciate come lei.

I miei genitori ora mi sembrano piú sollevati, come quella volta che arrivò una bolletta del telefono di due milioni e poi invece era stato solo un errore.

Domani farò un giro con la mamma a salutare Paola, Judith, Simona, Stefania e anche il professor Perotto.

Adesso ti saluto: vado a guardarmi *Sailor Moon* e poi corro a comprarmi le ginocchiere per la pallavolo.

Indice

Dal diario di una bambina troppo occupata

Einaudi Ragazzi

Storie e rime

Finito di stampare per conto delle Edizioni EL
presso la Società Editoriale Ergon S.r.l. - Ronchi (Go)

Ristampa					Anno		
I	2	3	4		2001	2002	2003